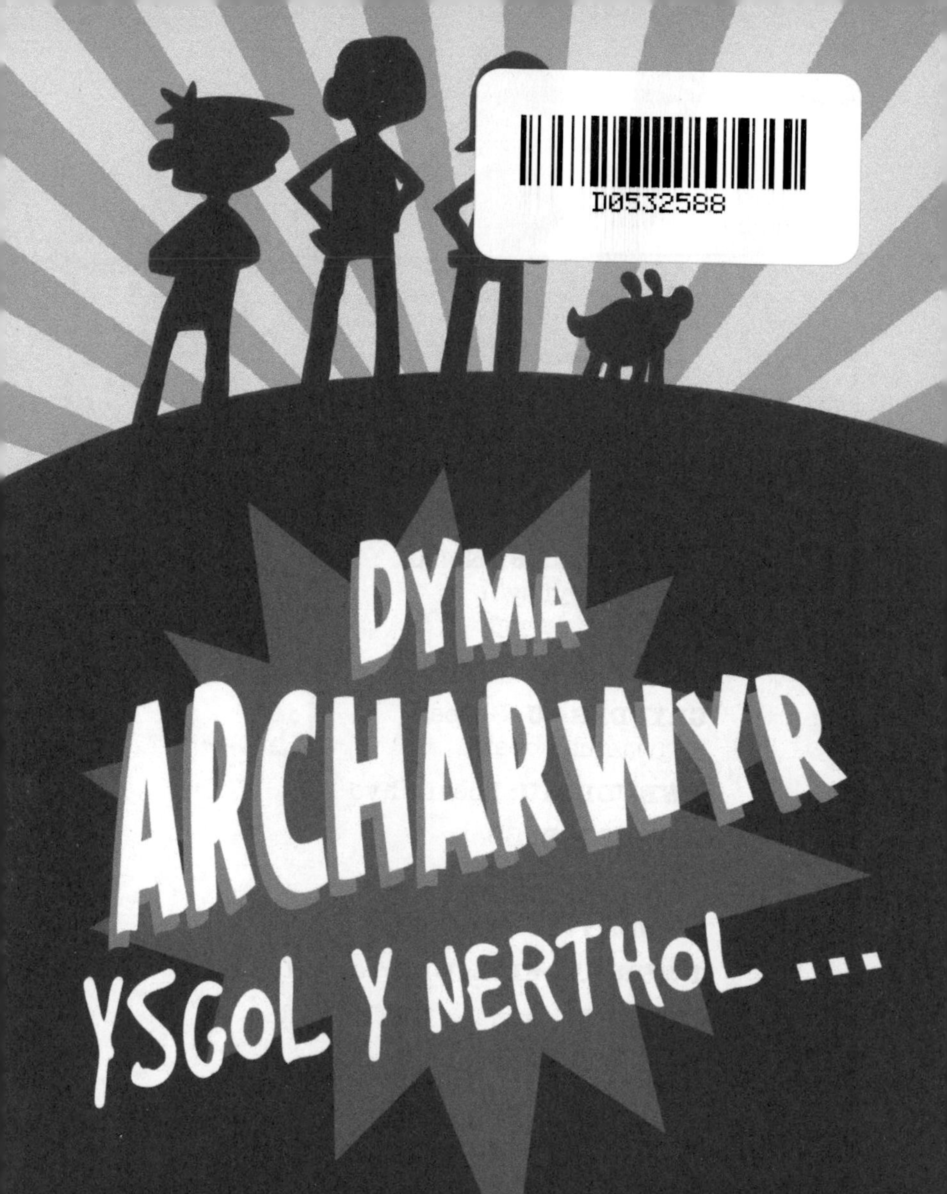

DYMA ARCHARWYR YSGOL Y NERTHOL ...

FFEIL-O-FFAITH

PAID Â BOD YN DDA

BYDD YN WYCH

CRWTYN CRYF (sef Siôn)

PWERAU ARBENNIG: Clustiau cryf sy'n synhwyro perygl

HOFF ARF: Tidliwincs

CRYFDERAU: Goroesi er gwaetha popeth

GWENDIDAU: Poeni o hyd

ARCH-SGÔR: 53

FFION FFRISBI (sef Ffion)

PWERAU ARBENNIG: Taro'r targed

HOFF ARF: Ffrisbi, WRTH GWRS

CRYFDERAU: Trefnus, y bòs

GWENDIDAU: Gweler uchod

ARCH-SGÔR: 56

Y DEWRION

BARI BRÊNS (sef Bari)

PWERAU ARBENNIG: Ymennydd anhygoel

HOFF ARF: Cwestiynau cwis

CRYFDERAU: Ym . . .

GWENDIDAU: Casáu ymladd

ARCH-SGÔR: 41.3

PWDIN, Y CI RHYFEDDOL

PWERAU ARBENNIG: Arogli pethau neis

HOFF ARF: Llyfu a glafoerio

CRYFDERAU: Ffyddlondeb

GWENDIDAU: Fel clwtyn llawr mawr

ARCH-SGÔR: 2

DOCTOR DRWG
yr athrylith gwyddonol gwallgo
CWSTARD CAS
- y peth gorau i mi ei ddarganfod!
Mmm

PAID Â'I GYFFWRDD, Y FFŴL!
Gallai dropyn neu ddau dy droi di'n anghenfil creulon.
Nesa, dere â MOCHYN CWTA!

Mochyn cwta ddwedes i, nid llygoden fawr!!
Sorri, syr.
Does dim ots, fe ddewisa i rywbeth fy hunan.

Plant ysgol!
Does dim eisie gwell!

Unwaith fydda i wedi profi ei bŵer gall y cwstard cas fynd ar ôl fy ngelynion a'u troi nhw'n gaethweision. Yna fi, Doctor Drwg, fydd yn rheoli'r byd.
HW HA HA HA!
Yrp!

Pennod 1

Newyddion drwg

Roedd hi'n ddiwrnod cynta'r tymor newydd ac aeth Siôn, Bari, Ffion a Pwdin y ci rhyfeddol i mewn drwy gatiau uchelYsgol y Nerthol. Doedd dim byd cyffrous na pheryglus wedi

digwydd yn ystod y gwyliau haf hir felly roedd **y Dewrion** yn falch o gael bod 'nôl gyda'i gilydd. Nhw, mae'n debyg, oedd y criw gorau o archarwyr yn nosbarth Siôn.

Edrychodd Siôn o gwmpas yr iard a gweld wynebau cyfarwydd. Ar yr ochr bellaf roedd grŵp o fechgyn yn chwarae pêl-droed awyr gan daflu'r bêl mor uchel â'r cymylau bob hyn a hyn. Roedd Tanc, bwli'r ysgol, wedi cael gafael mewn plant newydd i chwarae gyda nhw ac roedd e'n difyrru ei hunan drwy eu taflu dros y wal.

Dim ond diwrnod arferol yn Ysgol y Nerthol oedd hwn . . . ond roedd hynny ar fin newid.

Cerddodd Miss Marblen, y brifathrawes, heibio yn edrych yn ofidus ac yn gwisgo dwy sbectol ar ei phen.

'Bore da, miss,' meddai Ffion yn llon.

Edrychodd Miss Marblen o'i chwmpas gan wthio llythyr i'w phoced yn gyflym.

'Bore? Falle'i bod hi,' meddai. 'Helô, Ffiona.'

'Ffion,' meddai Ffion. 'Ydy popeth yn iawn Miss Marblen?'

'Ydy, wrth gwrs,' atebodd Miss Marblen. 'Arbennig o dda, perffaith, gallai pethau ddim bod yn well. Wel, well i f . . . ti'n gwybod, pethau i'w gwneud.'

Edrychodd pawb arni'n croesi'r iard ac yn diflannu trwy ddrws, gan ddod 'nôl allan eiliad wedyn ar ôl sylweddoli mai drws sied y gofalwr oedd e.

Gwgodd Ffion. 'Chi'n credu ei bod hi'n iawn?' gofynnodd.

'Mor wallgo â sachaid o gathod,' meddai Bari.

‘Ond roedd hi i’w gweld braidd yn rhyfedd,’ meddai Ffion. ‘Dyw hi ddim wedi ’ngalw i’n Ffiona o’r blaen.’

‘Mae hi’n fy ngalw i’n Sionyn weithiau,’ cwynodd Siôn.

‘Beth sy’n bod ar hynny?’ gofynnodd Bari.

‘Dyw e ddim yn enw da i archarwr, yw e?’ meddai Siôn.

‘Gallet gael dy alw’n Sionyn Bach Dewr,’ gwenodd Bari.

‘Well ’da fi Crwtyn Cryf, diolch,’ meddai Siôn, archarwr y clustiau cryf, oedd yn gallu synhwyro perygl yn dod o bell.

Roedd Ffion yn dal i feddwl am Miss Marblen. 'Mae rhywbeth yn bod,' meddai. 'Efallai y dylen ni fynd i weld a yw hi'n iawn.'

'Gweld a yw hi'n iawn?' meddai Siôn. 'Prifathrawes yr ysgol yw hi, nid babi!'

'Ewch chi,' meddai Bari. 'Dwi ddim am fynd i chwilio am drwbwl.'

Cyfarthodd Pwdin ac ysgwyd ei gynffon.

'Ti'n gweld? Mae Pwdin yn cytuno gyda fi,' meddai Ffion. 'Ydych chi'n dod neu beidio?'

Bum munud yn ddiweddarach roedden nhw'n curo ar ddrws y brifathrawes.

'Dewch i mewn!' meddai Miss Marblen.

Daethon nhw o hyd iddi'n eistedd wrth ei desg gyda'i chath yn cysgu ar ei chôl. Roedd llythyr swyddogol yr olwg ar agor o'i blaen hi.

'O, diolch am ddod. Eisteddwch,' meddai, fel pe bai hi wedi bod yn eu disgwyl. 'Ydy dy glustiau di wedi bod wrthi eto, Siôn?'

Edrychai Siôn yn syn arni. Roedd ei glustiau bob amser yn teimlo'n anghysurus pan oedd trwbwl ar fin digwydd ond ar hyn o bryd doedden nhw ddim yn cosi, hyd yn oed.

'Ym, na,' meddai. 'Oes problem?'

'Oes wir,' atebodd Miss Marblen. 'Dwi wedi cael llythyr bore 'ma. Mae'n debyg ein bod yn mynd i gael arolwg.'

Syllodd Ffion arni. 'Arolwg gan yr heddlu?'

‘Bydde hynny’n braf,’ chwarddodd Miss Marblen. ‘Na, arolwg ysgol yw hwn. Bob hyn a hyn maen nhw’n anfon arolygwyr i edrych ar yr ysgol i weld a yw hi’n perfformio’n ddigon da ac yn cwrdd â gofynion cenedlaethol, ac ati.’

‘Wrth gwrs ein bod ni’n cwrdd a’r cwynion cenedlaethol, on’d y’n ni?’ meddai Siôn.

Pwysodd Miss Marblen ymlaen gan wasgu

ei dwylo ynghyd. Deffrodd y gath ar ei chôl yn sydyn.

'Gadewch i fi ofyn rhywbeth i chi,' meddai'r brifathrawes. 'Faint mae eich rhieni yn ei wybod ynglŷn â beth rydyn ni'n ei wneud fan hyn?'

Amneidiodd Siôn. 'Dim llawer,' meddai. 'Maen nhw'n meddwl fy mod i'n mynd i ysgol ar gyfer plant dawnus. Petawn i'n dweud y gwir wrthyn nhw fydden nhw ddim yn fy nghredu.'

'Yn gwmws,' meddai Miss Marblen. 'A dyna sut dwi eisiau cadw pethau. Y ffaith yw, mae ein gwaith yn Ysgol y Nerthol yn gyfrinach. Does neb yn gwybod ein bod yn eich dysgu i ddatblygu pwerau arbennig. Petaen nhw'n dod i wybod hyn fe fyddai trwbwl. Byddai pob math o gwestiynau'n cael eu gofyn.'

'Os wisgwn ni grys a thei fyddan nhw damed callach,' awgrymodd Bari.

'Yn anffodus mae'n llawer mwy cymhleth na hynny,' meddai Miss Marblen. 'Pan fydd yr arolygwyr yn cyrraedd fyddan nhw'n disgwyl

gweld amserlen arferol – chi'n gwybod – darllen, ysgrifennu ac, ym . . . y peth arall yna . . .'

'Mathemateg?' cynigiodd Bari.

'Yn gwmws. Y math o bynciau y cewch chi mewn unrhyw ysgol,' meddai'r brifathrawes.

Roedd Siôn yn dechrau deall. Doedd dim

un o'r pynciau roedden nhw'n ei astudio yn Ysgol y Nerthol yn 'arferol'.

Roedd Mr Brân yn dysgu hedfan tra bod gwersi eraill yn cynnwys rheoli meddwl, ymladd heb arfau a 'deall y meddwl troseddol'.

'Ond fe welan nhw mor bwysig yw'r ysgol hon, siŵr iawn,' meddai Ffion. 'Does dim ysgolion eraill i blant fel ni.'

'Dwi'n cytuno gyda ti, Ffion,' meddai Miss Marblen. 'Ond dwi'n amau y bydd yr arolygwyr yn ei weld e fel'na. Os methwn ni'r arolwg fe allen ni fod mewn trwbwl. Fe allen nhw gau'r ysgol, hyd yn oed.'

'Cau'r ysgol?' llefodd Siôn. 'Allan nhw ddim â gwneud hynny!'

'Yn anffodus, fe allan nhw,' ochneidiodd Miss Marblen. 'Felly dwi wedi meddwl yn galed am hyn a dim ond un ffordd sydd o basio'r arolwg yma. Mae'n rhaid i ni argyhoeddi'r arolygwyr hyn ein bod yn ysgol gyffredin sy'n dysgu plant normal.'

Edrychodd Siôn, Ffion a Bari ar ei gilydd. Roedd hyn yn mynd i fod yn anodd. Doedd Ysgol y Nerthol ddim yn ysgol fawr ond roedd gan bob un o'r disgyblion ryw bŵer rhyfedd neu arbennig – o newid lliw i dorri gwynt mor gryf â chorwynt.

'Allwn ni ddim defnyddio'n pwerau ni? Dyna beth chi'n ei feddwl?' gofynnodd Ffion.

'Dyna'n gwmws beth dwi'n ei feddwl,' meddai Miss Marblen. 'Dwi am i chi gyd ymddwyn mor normal â phosib. Darllenwch eich llyfrau, adroddwch eich tablau a cheisiwch beidio creu ffrwydradau. Allwch chi wneud hynny?'

'Fyddwn *ni'n* iawn,' meddai Siôn. 'Ond beth am y lleill?'

'Fe siarada i â nhw yn y gwasanaeth,' esboniodd Miss Marblen. 'Mae dyfodol yr ysgol yn dibynnu ar hyn.'

Cododd, gan wthio'r gath i'r llawr a cherdded gyda nhw at y drws.

'Un peth arall,' meddai. 'Bydd angen gwirfoddolwyr arna i i arwain yr arolygwyr o gwmpas yr ysgol. Ro'n i'n meddwl y gallech chi'ch tri wneud hynny.'

'Ni?' gofynnodd Siôn. 'Pam ni?'

Plethodd Miss Marblen ei breichiau. 'Wel, mae eich pwerau chi, sut alla i ddweud hyn . . . ?'

'Yn wan?' cynigiodd Bari.

'Yn llai amlwg,' meddai Miss Marblen. 'A ta beth, mae angen plant call arna i.'

Roedd Siôn eisiau gwenu. Dyma'r tro cyntaf i unrhyw un ei gyhuddo o fod yn gall.

PAID Â BOD YN DDA

BYDD YN WYC

Llawlyfr Canllaw Archarwyr

Popeth sydd angen i chi ei wybod er mwyn achub y byd.

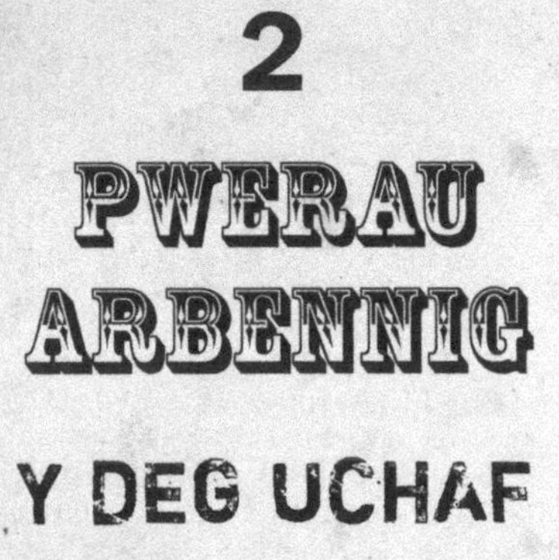

2

PWERAU ARBENNIG

Y DEG UCHAF

Pryd bynnag bydd criw o archarwyr yn dod at ei gilydd – mewn arhosfan bws neu barti – yn hwyr neu'n hwyrach fe fydd y sgwrs yn troi at y cwestiwn oesol: pa bŵer yw'r un gorau?

Mae gan bawb ei farn ei hunan, ond dyma fy neg uchaf personol i.

1. HEDFAN

Mae hedfan yn wych. Holwch chi unrhyw un a hwn fydd rhif un ar ei restr. Ond gair o rybudd yn dilyn profiad personol – cofiwch y rheol aur.

GWEITHGAREDD AWYR AGORED yw hedfan ac ni ddylid drysu rhyngddo a Sgrabl nac unrhyw gêmau bwrdd eraill.

2. CRYFDER MAWR

Mewn unrhyw griw o archarwyr fe gewch chi bob amser yr hync cyhyrog sy'n dangos ei hunan drwy godi tryciau neu glogfeini uwch ei ben. Un peth all drechu'r pŵer yma: goglais!

3. TRAWSNEWID

Oni fyddai'n ddefnyddiol pe gallech chi, mewn chwinciad, droi yn flaidd, ystlum neu hyd yn oed ffŵl gwirion? Efallai fod rhai o'ch cyfeillion wedi meistroli'r un olaf.

4. CYFLYMDRA EITHRIADOL

Os gallwch chi hedfan, bydd y gallu i redeg fel y gwynt yn help mawr i chi – yn enwedig os ydych yn wynebu bwystfil a chanddo dri phen, neu athro (neu'n waeth na hynny, athro blin a chanddo dri phen).

5. COESAU A BREICHIAU LASTIG

Coesau rwber, breichiau mor hyblyg â gwelltyn – peidiwch â gofyn i'r criw yma am gêm o bêl-fasged.

6. BOD YN ANWELEDIG

Defnyddiol ar gyfer y munudau anodd yna pan fyddwch wedi torri'r teledu/ffenest/tostiwr.

7. PWERAU TELECINETIG

Defnyddiwch bŵer eich meddwl i symud pethau. Rhybudd: nid yw hyn fel arfer yn gweithio ar frodyr hŷn.

8. MAGNETEDD

Rhowch sypréis i'ch ffrindiau wrth i chi wneud i lwyau metel, ffyrc ac arian mân lynu wrth eich corff. O feddwl am y peth, dwi ddim yn gwybod pa mor ddefnyddiol yw hyn mewn gwirionedd.

9. TEITHIO DRWY AMSER

Ydych chi erioed wedi gwneud camgymeriad mawr neu wedi gwneud cawlach mewn arholiad? Wrth deithio drwy amser gallech fynd yn ôl mewn amser a gwneud gymaint o gamgymeriadau ag y mynnwch.

10. Y GALLU I FOD YN ANORCHFYGOL

Y prif bŵer mae'n siŵr, ond rhaid bod yn ofalus gyda hwn. Mae sawl archarwr wedi honni ei fod yn gallu gorchfygu marwolaeth, ond nid yw pob un ohonynt wedi byw i adrodd yr hanes.

Pennod 3
Croeso oeraidd

Yr wythnos ganlynol safai Siôn a'i ffrindiau wrth y prif ddrysau, yn aros i'r arolygwyr gyrraedd. Yn hytrach na'u clogynnau a'u gwisgoedd Archarwyr roedden nhw'n gwisgo gwisg ysgol gyffredin. Yn anffodus, roedd yr unig wisgoedd ysgol oedd ganddyn nhw'n perthyn i'w hen ysgolion. Golygai hyn eu bod wedi'u gwisgo mewn tri lliw gwahanol.

Chwaraeai Siôn yn lletchwith â'i dei. 'Sut fyddwn ni'n eu hadnabod?' holodd.

'Arolygwyr y'n nhw – fyddan nhw'n siŵr o fod yn edrych fel athrawon,' meddai Ffion.

'Mae'r rhan fwyaf o'n hathrawon ni'n edrych yn wallgo,' meddai Bari.

Roedd hyn yn ddigon gwir, ond wedyn, roedd y rhan fwyaf o staff Ysgol y Nerthol yn dysgu pynciau gwallgo. Edrychodd Siôn i fyny ac i lawr yr heol. Trueni na fyddai Miss Marblen wedi dewis rhywun arall i dywys yr arolygwyr o gwmpas yr ysgol. Dyma beth oedd cyfrifoldeb mawr. Beth petaen nhw'n gwneud argraff wael neu'n dweud rhywbeth na ddylen nhw am yr ysgol? Roedd hi'n iawn i Miss Marblen ddweud wrthyn nhw am ymddwyn yn normal, ond roedd hynny'n golygu *peidio* â gwneud y pethau roedden nhw fel arfer yn eu gwneud. Roedd dim ond meddwl am hyn yn drysu ymennydd Bari.

'Beth y'n ni fod i'w ddweud wrthyn nhw? holodd Siôn.

'Ymlacia. Jest gwena a bod yn gwrtais,' atebodd Ffion. 'Unwaith y dôn nhw fe awn ni â nhw at Miss Marblen.'

Cytunodd Siôn. Roedd e'n gobeithio na fyddai Pwdin yn dechrau snwffian o gwmpas trywsusau'r arolygwyr. Sut allen nhw egluro beth oedd ci yn ei wneud yn yr ysgol, ta beth?

Roedd Siôn wedi awgrymu y dylen nhw ei guddio mewn stordy ond roedd Ffion yn gweld hynny'n greulon. Honnai fod Pwdin fwy neu lai'n anweledig i athrawon beth bynnag – doedden nhw ddim fel petaen nhw'n sylwi arno.

Yr eiliad honno daeth car glas yn araf heibio'r gatiau.

'Er mwyn dyn, gad lonydd i dy glustiau,' ochneidiodd Ffion.

'Alla i ddim peidio, maen nhw newydd ddechrau cosi,' meddai Siôn.

Yn y cyfamser, rownd y gornel, roedd dau ffigwr tywyll wedi sleifio o'r tu ôl i bostyn lamp.

Roedden nhw'n bâr rhyfedd – un ohonyn nhw'n gawr tra bod ei gyfaill yn ddigon bach i allu mynd i'w boced, bron. Roedd gan y dyn bach farf, llygaid oeraidd a gwadnau trwchus ar ei esgidiau i wneud iddo edrych yn dalach.

'Dyma'r ysgol,' meddai Doctor Drwg. 'Ysgol y Nerthol.'

'Iep, syr,' meddai Oto, ei warchodwr personol mawr twp. Cododd ei feistr er mwyn i Doctor Drwg allu gweld dros y ffens.

'Y cwestiwn yw, sut y'n ni'n mynd i mewn?' gofynnodd Doctor Drwg.

'Ym . . . drw'r drws?' awgrymodd Oto.

'Ysgol yw hi, y twpsyn,' meddai Doctor Drwg. 'Alli di ddim jest cerdded i mewn a dweud, "Plis gawn ni fenthyg un o'ch plantos bach er mwyn i ni wneud arbrawf cas arno?"'

'Iep, syr,' meddai Oto.

'A rho'r gorau i ddweud "iep, syr", ti'n swnio fel parot!'

Ochneidiodd Doctor Drwg. Roedd Oto yn ffyddlon ac mor gryf ag ych ond roedd man a man i chi fod yn siarad â'r wal. Weithiau ysai Doctor Drwg am gwmni rhywun mor glyfar ag ef ei hun. Ers iddo ymddwyn yn warthus yn seremoni wobrau *Gwyddonydd y Flwyddyn*, roedd ei gyd-wyddonwyr wedi troi eu cefnau arno – ond ddim am yn hir. Unwaith y bydden nhw o dan felltith y Cwstard Cas, fydden nhw i gyd yn dod yn gaethweision ufudd iddo. Fyddai neb yn ei alw'n 'Doctor Pwy?' wedyn.

Cyrhaeddodd y car glas a daeth dyn a menyw allan ohono.

'Esgusodwch fi, ai dymaYsgol y Nerthol?' gofynnodd menyw ryfeddol o dal.

Agorodd Oto ei geg.

'Ie,' meddai Doctor Drwg. 'Alla i'ch helpu chi?'

'Na, dim ond gwneud yn siŵr,' gwenodd y fenyw.

'Fi yw Miss Mawr a dyma Mr Hir – ry'n ni'n arolygwyr ac ry'n ni'n amlwg wedi dod o hyd i'r ysgol.'

Arolygwyr? Edrychodd Doctor Drwg arnyn nhw'n amheus. Wel, dyma beth oedd cyfle perffaith! Byddai'r ysgol yn disgwyl yr arolygwyr. Byddai ganddyn nhw bob rhyddid i fusnesu o gwmpas y lle a siarad gydag unrhyw blentyn. Pe byddai un neu ddau o'r plant yn

digwydd mynd ar goll yna pwy oedd yn mynd i sylwi? Estynnodd ei law i'r fenyw.

'Gwych, ry'n ni wedi bod yn eich disgwyl chi,' meddai Doctor Drwg.

'Wir?' meddai Miss Mawr.

'Do wir. Fi yw'r prifathro, Mr Clatsien.'

Gwgodd yr arolygydd ac estyn llythyr o'i bag.

'Ond ro'n i'n meddwl mai Miss Marblen oedd pennaeth yr ysgol,' meddai.

'Ie,' meddai Doctor Drwg, gan feddwl yn gyflym. 'Ond fe aeth hi'n sâl yn sydyn. Ddoe, fel mae'n digwydd – mae ganddi, ym . . . frech y sebra.'

'Brech y sebra?' gofynnodd Mr Hir yn syn.

'Ie, mae e fel brech yr ieir ond bod streips yn ymddangos,' esboniodd Doctor Drwg.

'Ond does dim ots, dwi yma i'ch croesawu a dyma ysgrifennydd yr ysgol, ym . . . Mr Oto.'

Edrychodd yr arolygwyr ar y mynydd o ddyn a wenodd yn ôl arnyn nhw gan ddangos llond ceg o ddannedd aur. Roedd yn edrych yn debycach i godwr pwysau Olympaidd nag ysgrifennydd ysgol.

Gwgodd Miss Mawr. 'Dwi ddim yn gwybod wir, mae hyn i gyd yn rhyfedd iawn,' meddai.

Agorodd Doctor Drwg ei llygaid yn fawr ac aeth ei lais yn ddiarth. 'Dilynwch fi,' meddai.

'Beth?'

'Gwnewch yn gwmws fel dwi'n ei ddweud. Dilynwch fi.'

Nodiodd yr arolygwyr, gan syrthio o dan hud a lledrith ei lygaid rhyfedd a'i lais swynol.

Aeth Doctor Drwg â nhw i gefn yr ysgol a dringo drwy fwlch yn y ffens. Brysiodd ar draws yr iard ac agor drysau. Sied oedd un ohonyn nhw. O'r diwedd fe ddaeth o hyd i ffordd i mewn i'r ysgol a chlicio'i fysedd. Daeth yr arolygwyr allan o'u perlewyg. Aeth Doctor Drwg i lawr y grisiau ac i mewn i seler laith, hanner tywyll oedd yn drewi o fresych a thatws wedi'u berwi.

'Y'ch chi'n siŵr mai fan hyn rydyn ni i fod?' gofynnodd Miss Mawr, heb gofio yn iawn sut y cyrhaeddodd hi yno.

'Ble mae'r plant?' gofynnodd Mr Hir.

'Maen nhw yma yn rhywle,' atebodd Doctor Drwg. 'Yn gyntaf fe awn ni draw i'm swyddfa i. Gyda llaw, ga i weld eich bathodynnau?'

Rhoddodd yr arolygwyr eu bathodynnau i Doctor Drwg a rhoddodd yntau nhw yn ei boced yn gyflym. Agorodd ddrws metel a sefyll i'r neilltu er mwyn iddyn nhw fynd i mewn.

'Gwnewch eich hunain yn gyfforddus,' mynnodd.

Edrychodd Miss Mawr i mewn i'r stafell.

'Mae'n dywyll fel bol buwch,' cwynodd.

'Ac yn oer ofnadwy,' meddai Mr Hir gan gerdded i mewn. 'Y'ch chi'n siŵr mai dyma ble . . .?'

HOI!!!

'Ffyliaid!' chwarddodd Doctor Drwg wrth iddo droi'r allwedd a chloi'r drws. 'Bydd cwpwl o oriau yn y rhewgell yn siŵr o wneud byd o les iddyn nhw. Hi hi hi!'

'HA! HA! HA!' chwarddodd Oto. 'Pwy o'n nhw eto?'

'Arolygwyr ysgol, y twpsyn,' atebodd Doctor Drwg. 'Ond rwyt ti a fi yn mynd i gymryd eu lle nhw. Dyma dy fathodyn, Oto. Rho fe ar dy got. Alli di fod yn Miss Mawr.'

'Jolch, syr,' meddai Oto, oedd erioed wedi cael bathodyn o'r blaen.

‘Nawr, ry’n ni’n mynd i gael golwg o gwmpas yr ysgol,’ esboniodd Doctor Drwg. ‘Tra’n bod ni yma, tria beidio siarad, a dwi ddim am i ti fwyta unrhyw beth.’

Syrthiodd wyneb Oto. ‘Dim hyd yn oed mwydyn bach?’

‘Yn enwedig mwydyn bach,’ meddai Doctor Drwg. ‘A chofia mai arolygwyr ysgol y’n ni felly paid â ’ngalw i’n syr.’

Nodiodd Oto yn ddwys. ‘Iep, syr.’

Edrychodd Siôn ar ei oriawr. Roedd rhywbeth yn bod – dylai'r arolygwyr fod wedi cyrraedd hanner awr yn ôl.

'Falle nad y'n nhw'n dod,' meddai'n obeithiol.

'Wyt ti'n credu ein bod wedi'u methu nhw?' gofynnodd Ffion.

'Dwi ddim yn gwybod, ond well dweud wrth Miss Marblen,' meddai Siôn.

Roedd ei glustiau yn dal i roi trafferth

iddo. Weithiau roedden nhw'n cosi ac yn pigo am ddim rheswm o gwbwl. Pan edrychodd o'i gwmpas bu bron i Siôn ddychryn am ei fywyd. Y tu ôl iddo safai dau ddyn diarth oedd wedi ymddangos o nunlle.

Roedd un yn fach iawn ac yn farfog a'r llall mor fawr â wardrob ac yn gwylio cleren yn hedfan heibio iddo.

'Gad e fod,' mynnodd y dyn bach. ' Bore da, ni yw'r arolygwyr. Fi yw Mr Hir a dyma ym . . . Miss Mawr.'

'Reit,' meddai Siôn.

Roedd e'n ymwybodol ei fod yn syllu, ond doedd e ddim wedi gweld arolygwyr o'r blaen ac roedd y ddau yma yn edrych fel pe baen nhw wedi dianc o'r syrcas. O feddwl mai menyw oedd hi, roedd Miss Mawr yn enfawr ac yn flewog. Y peth arall rhyfedd oedd eu bod wedi llwyddo i ddod i mewn i'r ysgol heb i neb eu gweld nhw.

Torrodd llais Ffion drwy'r tawelwch. 'Ffion ydw i. Croeso i Ysgol y Nerthol,' meddai gan gamu ymlaen. 'Dyma Siôn a Bari, a dyma Pwdin, yr un gyda'r gynffon.'

Chwyrnodd Pwdin a swatio'n isel gan ysgyrnygu.

Chwyrnodd Miss Mawr yn ôl gan wneud i Pwdin redeg a chuddio y tu ôl i goesau Ffion.

'Mae'n iawn, Pwds, wnân nhw ddim dy frifo di,' meddai Ffion. Trodd at yr arolygwyr. 'Mae Miss Marblen yn disgwyl amdanoch chi yn ei swyddfa,' meddai.

Arweiniwyd nhw i lawr y coridor hir a churodd Ffion ar ddrws y swyddfa. Gwisgai Miss Marblen ei ffrog orau ar gyfer yr achlysur ynghyd â'r rhan fwyaf o'i gemwaith. Edrychai fel petai hi un ai am swyno'r arolygwyr neu am ddawnsio'r tango gyda nhw.

'Croeso! Dewch i mewn,' meddai'n gyfeillgar, gan ysgwyd dwylo'r ymwelwyr.

‘Gymerwch chi ddiod? Te? Coffi? Siocled poeth? Sieri? Cacennau? Bisgedi?’

‘Dim diolch,’ atebodd Doctor Drwg. ‘Dydyn ni ddim yn llwglyd.’

‘Dwi’n llwglyd,’ meddai Oto. ‘Beth am fwydyn bach . . .’

‘Cau dy geg,’ chwyrnodd ei feistr, cyn gwenu. ‘Os nag oes ots gyda chi, mae llawer o arolygu ganddon ni i’w wneud, chi’n gwybod – plant, llyfrau, pensiliau ac ati.’

‘Pensiliau?’ gofynnodd Miss Marblen.

‘Ie. Pensiliau miniog, meddyliau miniog,’ meddai Doctor Drwg. ‘Gawn ni ddechrau arni?’

‘Wrth gwrs,’ meddai Miss Marblen. ‘Ond mae arna i ofn y byddwch chi’n ein gweld ni’n ddiflas iawn. Ysgol normal, gyffredin yw hon, yn union fel unrhyw ysgol arall, ontefe, Sionyn?’

‘O, ym, ie,’ atebodd Siôn.

Daliodd lygad Ffion, gan geisio dyfalu faint rhagor o gelwyddau roedd Miss Marblen yn bwriadu eu dweud y diwrnod hwnnw.

'Gall y plant eich tywys,' meddai. 'Gofynnwch unrhyw gwestiwn iddyn nhw.'

'Ond peidiwch disgwyl i ni eu hateb,' meddai Bari o dan ei anadl.

Bant â nhw. Roedd Miss Marblen wedi dweud wrth y tri am gadw'r daith o gwmpas yr ysgol mor fyr a diflas â phosib. Roedd hi wedi rhybuddio'r staff i gyd i wneud yn siŵr eu bod yn dysgu pynciau 'arferol', fel Cymraeg,

Saesneg, gwyddoniaeth, mathemateg neu hanes. Doedd neb i ddefnyddio pwerau arbennig dan unrhyw amod. Er hyn, teimlai Siôn yn nerfus wrth iddyn nhw gerdded at yr neuadd. Doedd pob un o'r athrawon ddim yn ddibynadwy. Roedd Mr Brân yn wallgo, tra byddai Mr Tric fel arfer yn syrthio i gysgu yn y gwasanaeth ac yn methu popeth oedd yn cael ei ddweud. Credai Siôn y byddai'n wyrth os gallen nhw fynd o gwmpas yr ysgol yn ddidrafferth.

Hanner awr yn ddiweddarach roedden nhw 'nôl yn y neuadd wag.

'A dyma'r neuadd,' esboniodd Ffion. 'Ry'n ni'n ei defnyddio ar gyfer . . .'

'Ie, ry'n ni wedi'i gweld yn barod,' meddai Doctor Drwg, yn ddiamynedd. 'Beth dydyn ni ddim wedi'i weld yw'r plant. Awn ni i chwilio yn fan hyn, ie?'

Cyn y gallen nhw ei rwystro, fe agorodd yr arolygwr ddrws y dosbarth a cherdded i ganol gwers. Ochneidiodd Siôn. Yn ffodus, Mr Tric oedd yr athro. Doedd hi ddim yn amlwg yn syth pa bwnc roedd e'n ei ddysgu ond doedd e ddim yn edrych fel gwers ddaearyddiaeth. Safai cist bren anferth ym mlaen y dosbarth a chadwyni a chloeon cadarn amdani. Syllodd Mr Tric arnyn nhw'n gas.

'Esgusodwch fi!' cwynodd. 'Dwi'n ceisio cynnal gwers yn fan hyn.'

'Daliwch ati, plis,' meddai'r arolygwr bach, gan chwifio'i law. 'Yma i arsylwi ry'n ni.'

Ceisiodd Siôn ddal llygad Mr Tric.

'Dyma'r arolygwyr, syr,' meddai'n bwrpasol.

'PWY?' cyfarthodd yr athro.

'Yr arolygwyr,' meddai Ffion. 'Maen nhw eisiau arsylwi eich gwers *ddaearyddiaeth* chi.'

'Daearyddiaeth? Am beth ti'n sôn?' atebodd Mr Tric, gan edrych ar yr oriawr yn ei law. 'Un funud!' gwaeddodd.

Daeth sŵn uchel o du mewn y gist gan wneud iddi symud. Sylweddolodd Siôn fod yna rywun y tu mewn iddi ac roedd hwnnw'n ceisio dod allan! Dysgu pobol sut i ddianc pan oedden nhw wedi'u clymu, eu rhwymo neu, yn yr achos hwn, wedi'u cloi mewn cist, oedd pwnc Mr Tric. Yn amlwg, nid oedd wedi cael y neges bod angen iddo ddysgu pwnc oedd yn perthyn i amserlen gyffredin.

Aeth Mr Hir, yr arolygwr bach, at y gist.

'A beth yw hyn?' gofynnodd.

'Dim,' meddai Siôn yn gyflym. 'Falle dylen ni symud 'mlaen; dy'n ni ddim wedi gweld y toiledau eto.' Daliodd y drws ar agor.

BANG! CRAC!

Daeth synau aflafar o'r gist a throdd ar ei hochr gyda chrash enfawr.

'Un funud, tri deg eiliad!' gwaeddodd yr athro. 'Mae'r amser yn brin.'

Edrychai'r arolygwr yn syn. 'Mae rhywun y tu mewn i hwnna!' meddai, gan bwyntio at y gist mewn syndod.

‘Ym . . . mae’n bosib,’ meddai Siôn.

‘Wrth gwrs bod rhywun y tu mewn,’ meddai Mr Tric.

‘Ond pam fyddech chi’n cloi rhywun mewn bocs?’ holodd yr arolygwr.

‘I weld a all e ddianc, wrth gwrs,’ cyfarthodd yr athro.

Yn sydyn, saethodd dwrn mawr allan drwy ochr y gist, yna crensiodd esgid allan drwy dwll arall. Safodd yr arolygwyr ’nôl wrth i ragor o ddyrnu ac ergydio dorri drwy glawr y gist. Cododd pen ac ysgwyddau Tanc allan o’r darnau pren fel actor mewn sioe hud a lledrith – ond ei fod yn hyllach. Ysgydwodd darnau o bren o’i wallt a gweiddi’n fuddugoliaethus.

‘Dwy funud, deg eiliad,’ cyhoeddodd yr athro gan wasgu’r botwm ar yr oriawr. ‘Da iawn, Tanc. Ddim yn bert ond yn bendant yn effeithiol.’

RAAAR!

Camodd Tanc o weddillion y gist a brasgamu 'nôl at ei ddesg, gan rwbio'i ben.

Plethodd yr arolygwr ei freichiau. 'Dwi eisiau gwybod pa wers yw hon,' mynnodd.

Doedd Siôn ddim yn gallu meddwl am ateb. Trodd i edrych ar Ffion mewn gobaith, ond ysgwyd ei phen wnaeth hi.

'Gwyddoniaeth,' meddai Bari ar unwaith i'w hachub.

'Gwyddoniaeth?'

'Ie, ry'n ni wedi bod yn profi cryfder gwahanol ddeunyddiau – chi'n gwybod, fel haearn, dur, copr,' eglurodd Bari. 'Y tro hwn roedden ni'n profi pa mor gryf yw pren o'i gymharu â rhywbeth caled fel pen Tanc.'

'O, dwi'n gweld,' meddai'r arolygydd, ond roedd hi'n amlwg nad oedd yn gweld o gwbwl. 'Wel, da iawn, da iawn. Plis daliwch ati.'

Edrychodd o'i gwmpas i weld ble oedd ei gyfaill blewog, oedd wedi dod o hyd i we pry copyn yn hongian yn y gornel.

'Miss Mawr, ry'n ni'n mynd!' meddai'n awdurdodol.

Cododd Miss Mawr a golwg euog ar ei hwyneb. Roedd rhywbeth yn ei cheg ac fe'i llyncodd ar unwaith.

'Iawn,' meddai'r Mr Tric. 'Fory fyddwn ni'n edrych ar sut i ddianc o dan y dŵr. Darllenwch bennod dwy ar bymtheg yn eich llyfrau gwaith . . .'

Arweiniodd Siôn yr ymwelwyr allan drwy'r drws cyn i bethau fynd yn waeth. Mae'n siŵr nad y wers hon oedd gan Miss Marblen mewn golwg er mwyn creu'r argraff ei bod hi'n ysgol ddiflas a chyffredin. Fodd bynnag, roedd gan yr arolygwyr bethau eraill ar eu meddyliau.

'Cinio ysgol?' gofynnodd Mr Hir.

'Ddim os allwn ni beidio,' meddai Bari.

Pwniodd Ffion ef er mwyn cau ei geg. 'Mrs Cacen sy'n gofalu am ginio,' eglurodd. 'Mae ei phrydau bwyd hi'n . . . ddiddorol.'

‘Mae hwnna’n un gair i’w disgrifio nhw,’ meddai Bari.

‘Awn ni â chi i’r gegin os hoffech chi,’ cynigiodd Siôn.

‘Mae’n iawn. Mae honno i lawr y grisiau, on’d yw hi?’ holodd yr arolygwr.

‘Ydy, wnawn ni ei dangos i chi,’ meddai Ffion.

‘Na, na ry’n ni’n gwybod y ffordd,’ meddai’r arolygwr.

‘Diolch am ddangos beth yw beth. Mae wedi bod yn diddorol iawn ond wnawn ni mo’ch cadw rhag eich gwersi. Ffordd hyn, Miss Mawr.’

Gwyliodd Siôn y ddau ohonyn nhw’n mynd i lawr y grisiau. Pwysodd yn ôl yn erbyn y wal. ‘Roedd hynna’n erchyll!’ cwynodd. ‘Chi’n credu sylwon nhw?’

‘Beth? Tanc yn dianc o gist drwy ei thorri’n ddarnau?’ meddai Bari. ‘Anodd peidio sylwi.’

'Ond doedd dim llawer o ots ganddyn nhw,' meddai Ffion yn feddylgar.

'Beth bynnag, ddylien ni ddim fod wedi gadael iddyn nhw fynd ar eu pennau eu hunain,' meddai Siôn. 'Dywedodd Miss Marblen y dylen ni aros gyda nhw.'

'Mae rhywbeth arall dwi ddim yn ei ddeall,' meddai Ffion. 'Sylwoch chi arnyn nhw'n edrych ar ein gwaith neu ar ein llyfrau ni?'

'Naddo,' atebodd Siôn.

'Yn gwmws,' meddai Ffion. 'Oni fyddai arolygwyr yn sgrifennu nodiadau?'

Gwenodd Bari. 'Dwi ddim yn credu bod yr un mawr yn gwybod *sut* i sgrifennu,' meddai.

'Dyna beth arall sy'n rhyfedd,' meddai Ffion. 'Dwi wedi gweld yr un bach o'r blaen yn rhywle. A'r un mawr, Miss Mawr, dwi'n siŵr mai dyn yw hi. Gweles i hi'n bwyta pry copyn!'

'BETH?' ebychodd Siôn.

'Fe roddodd hi bry copyn mawr blewog yn ei cheg a'i lyncu.'

Ysgydwodd Bari ei ben. 'Falle na fyddan nhw'n meddwl bod ein cinio ysgol ni mor wael â hynny wedi'r cyfan,' meddai.

Pennod 5

Llond llwy o gasineb

I lawr yn y gegin laith, dywyll roedd Mrs Cacen, cogyddes waetha'r byd, yn paratoi cinio. Trodd y llwy mewn sosban o gwstard trwchus, lympiog wrth iddo ffrwtian ar y stof.

Gwgodd. Beth oedd y sŵn yna? Roedd hi wedi'i glywed fwy nag unwaith y bore hwnnw – sŵn tebyg i rywbeth yn cnocio neu lygod yn dysgu dawns y glocsen.

Rhoddodd ei chlust yn agos at y sosban a gwrando. Na, nid y cwstard oedd yn gwneud y sŵn. Cerddodd allan i'r coridor ac aros am eiliad.

Dyna'r sŵn eto! Swniai fel petai'n dod o'r rhewgell. Aeth yn dawel i lawr y coridor ac estyn ei llaw am y drws.

'A, dyna chi!'

Neidiodd. Trodd i weld dau ddyn diarth yn sefyll ar waelod y grisiau.

'Mrs Cacen, ie?' meddai'r dyn bach barfog. 'Ni yw arolygwyr yr ysgol, Mr Hir a Miss Mawr.'

Gwenodd Miss Mawr a gwasgu ei llaw yn ddwrn. Doedd hi ddim yn edrych fel 'miss' ond efallai ei bod wedi anghofio siafio y bore hwnnw.

'Arolygwyr?' holodd Mrs Cacen, gan sychu ei dwylo ar ei ffedog. Dylai hi foesymgrymu? Doedd neb wedi dweud gair wrthi am arolwg.

Petai hi wedi gwybod fe fyddai wedi sgleinio'r cyllyll a'r ffyrc, neu o leia wedi cael gwared ar y baw llygod.

Pwyntiodd hi at y rhewgell fawr.

'Dwi'n gwybod bod hyn yn swnio'n wallgo ond dwi'n meddwl glywes i sŵn cnocio,' eglurodd.

'Eich pengliniau oedd e siŵr o fod; mae hi'n oer iawn lawr yn fan hyn. Nawr, dwi eisiau gweld y gegin,' meddai Mr Hir.

Arweiniodd Mrs Cacen nhw mewn i'r gegin.

Edrychodd Doctor Drwg o'i gwmpas ar le peryglus o frwnt. Gorweddai tuniau cawl ar agor yno, tyfai ffwng gwyrdd ar y nenfwd ac roedd mwy o staeniau ar y ffwrn nag ar ffedog cigydd.

'Sawl aelod o staff sydd yma?' gofynnodd.

'Wel, gan gynnwys fi fy hunan – un,' atebodd Mrs Cacen.

'Chi yma ar eich pen eich hunan?' holodd Doctor Drwg.

Chwarae plant, meddyliodd. Doedd neb ar gyfyl y lle i ymyrryd. Edrychodd ar ryw stwff melyn trwchus yn y sosban. 'A beth yw hwn?' gofynnodd.

'Cwstard,' atebodd Mrs Cacen. 'Dwi'n ei weini gyda tharten afalau. Hoffech chi ddarn?'

Cafodd Doctor Drwg ddarn a'i phoeri allan yn syth.

‘YCH!’ Beth sydd yn honna? holodd.

‘Tato gan fwyaf,’ meddai Mrs Cacen.

‘Beth? Roeddwn i’n meddwl mai tarten afalau oedd hi?’

‘Ie, doedd dim digon o afalau,’ eglurodd y gogyddes.

Ysgydwodd Doctor Drwg ei ben. Roedd hi’n bosib fod yr hen ddynes yn wallgo. Byddai’n rhaid i chi fod yn wallgo i fwyta ei bwyd hi, yn bendant. Ond wedyn doedd gan blant ysgol diniwed fawr o ddewis ac roedd hynny’n siwtio cynlluniau Doctor Drwg i’r dim.

Tynnodd botel fach wydr o boced ei got. Sgleiniai’r hylif gwyrdd wrth iddo ei ddal i fyny at y golau. ‘Chi’n gweld hwn?’ meddai.

‘Moddion peswch?’ gofynnodd Mrs Cacen.

‘Na, dyma gynhwysyn dirgel er mwyn creu cwstard perffaith,’ atebodd Doctor

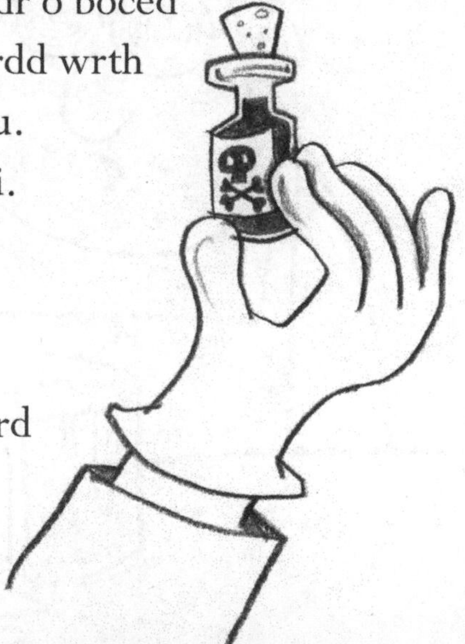

Drwg yn slei. 'Cwpwl o ddiferion o hwn a bydd eich cwstard yn cael ei drawsnewid.'

'Www,' meddai Mrs Cacen. 'Yw e'n cael gwared ar lympiau?'

'Credwch chi fi,' meddai Doctor Drwg, 'fydd unrhyw un sy'n blasu'r cwstard hwn ddim hyd yn oed yn sylwi ar lympiau. Dylech chi ei drio. WIR, DWI'N MYNNU EICH BOD YN EI DRIO.'

Roedd Mrs Cacen wedi'i dal gan lygaid a llais swynol Doctor Drwg.

'Ei drio?' holodd Mrs Cacen.

'Ie,' atebodd Doctor Drwg.

'Cymerwch y botel hon a rhowch un neu ddau o ddiferion i mewn i'r cwstard. Nawr!'

Ufuddhaodd y gogyddes iddo. Tywalltodd dri neu bedwar diferyn i'r sosban. Yn syth, dechreuodd y stwff melyn ffrwtian yn wyllt fel môr gwyllt.

Rhwbiodd Doctor Drwg ei ddwylo'n frwd. 'Mae'n gweithio, Oto,' meddai.

'Iep, syr,' meddai Oto. 'Ga' i lyfu'r llwy?'

'Paid â bod mor dwp,' brathodd Doctor Drwg. 'Nid i ti mae hwn. Na, yn gyntaf, wnawn ni ei brofi ar y plantos a gweld beth sy'n digwydd. Pan fydd e'n gweithio'n iawn fe ga' i ddial ar y ffyliaid wnaeth amau fy athrylith. Bydd Cwstard Cas yn eu gwneud yn ffyddlon i mi, a fi fydd eu meistr. HW HW HA HA HA HA!'

HW HW
HA HA
HA HA!

Beth amdani *hi*, syr?' meddai Oto, gan bwyntio at Mrs Cacen, oedd fel petai hi wedi syrthio i ryw fath o berlewyg. Cliciodd Doctor Drwg ei fysedd ac fe gaeodd Mrs Cacen ei llygaid ac yna'u hagor eto.

'Sorri, beth oeddech chi'n ei ddweud?' gwgodd.

'Y cwstard,' meddai Doctor Drwg. 'Triwch e, jyst un llyfiad.'

'Iawn,' meddai Mrs Cacen. Cododd y llwy i'w gwefusau a'i llyfu. 'Mmm,' meddai. 'Mae hwnna wir yn blasu'n eitha . . .'

YYCH!

Syrthiodd Mrs Cacen i'w phengliniau gan dagu a pheswch.

'Mae hi wedi troi'n felyn,' meddai Oto. 'Yw hi wedi marw?'

'Wrth gwrs nag yw hi wedi marw,' cyfarthodd Doctor Drwg. 'Dim ond llyfu'r llwy wnaeth hi. Ond dychmyga beth fyddai'r effaith ar rywun sy'n bwyta llond bowlen.'

'Pwy sy'n mynd i wneud hynny, syr?' gofynnodd Oto.

Edrychodd Doctor Drwg ar y cloc ar y wal a gwenu. 'O, edrych, mae hi wedi troi hanner dydd,' meddai. 'Bron yn amser i'r plantos bach gael eu cinio.'

Pennod 6
Rhagor o fwyd

’Nôl i fyny’r grisiau, fe gwrddodd Siôn a’i ffrindiau Miss Marblen ar eu ffordd i gael cinio. ‘A, dyna ble wyt ti, Siôn,’ meddai’n ofidus. ‘Ble mae’r arolygwyr?’

‘Aethon nhw lawr llawr i weld y gegin,’ atebodd Siôn.

‘Beth? Adawoch chi iddyn nhw fynd ar eu pennau eu hunain?’

Rhedodd Miss Marblen ei llaw drwy ei gwallt. 'Dyna'r lle ola dwi eisiau iddyn nhw fynd i fusnesu,' meddai gan ochneidio. 'Chi'n gwybod sut beth yw coginio Mrs Cacen – fe allen nhw farw o wenwyn bwyd!'

Roedd hi ar fin mynd pan ddywedodd Ffion beth oedd ar ei meddwl. 'Miss Marblen, dwi'n meddwl fy mod i wedi gweld un o'r arolygwyr o'r blaen.'

'Go brin,' atebodd Miss Marblen.

'Ond mae rhywbeth od amdanyn nhw,' mynnodd Ffion. 'Dy'n nhw ddim yn bihafio fel arolygwyr. Wnaethon nhw ddim hyd yn oed sgrifennu nodiadau.'

'Mae Ffion yn meddwl mai esgus bod yn arolygwyr maen nhw,' chwarddodd Siôn.

Edrychodd Miss Marblen arni, yn ddiamynedd. 'Ffion, rwyt ti wedi bod yn darllen gormod o gomics,' dwrdiodd. 'Wrth gwrs mai arolygwyr ydyn nhw – maen nhw'n gwisgo *bathodynnau*, er mwyn dyn!'

Aeth hi yn ei blaen i geisio dod o hyd i'r arolygwyr. Trodd Ffion at y bechgyn yn flin. 'Diolch yn fawr am eich help,' meddai.

'Mi wnes i!' protestiodd Siôn.

'A fi!' meddai Bari. 'Wel, ro'n i'n meddwl gwneud!'

Yn y neuadd fe ymunon nhw â'r ciw i gael cinio.

Roedd disgrifiad Mrs Cacen o'r bwyd bob amser yn fwy gobeithiol na chywir. Fel rheol, y cwbwl y byddai hi'n ei wneud fyddai berwi beth bynnag oedd ganddi yn y cwpwrdd a rhoi enw iddo.

'Tarten afalau a chwstard?' meddai Bari. 'Mae hwnna'n swnio'n iawn.'

'Paid codi dy obeithion,' rhybuddiodd Siôn. 'Ti'n cofio'r treiffl gawson ni wythnos dwetha!'

Daeth eu tro nhw i gael bwyd ac fe daflodd Mrs Cacen gawl brown dyfrllyd ar eu platiau. Sylwodd Siôn ddim nad oedd hi'n edrych yn rhy dda heddiw – ac roedd y darten afalau a chwstard yn edrych yn waeth byth. Daethon nhw o hyd i fwrdd gwag ac eistedd. Rhwbiodd Siôn ei glust; roedd yn ei boeni eto.

'Welsoch chi Mrs Cacen?' gofynnodd.

‘Mae hi’n edrych braidd yn felyn.’

‘Mae hynny’n fwy nag y galli di ddweud am y cwstard ’ma,’ cwynodd Bari. ‘Dwi’n credu ei fod e’n fyw!’

Roedd y cwstard fel jeli, ac yn disgleirio. Gwthiodd Siôn ei fowlen oddi wrtho gan ochneidio a phenderfynu y byddai dim ond y cawl yn ddigon iddo.

Yna fe gyrhaeddodd Tanc a suddo i'r sedd wrth ei ymyl. Roedd Bari'n synnu; wedi'r cyfan doedden nhw ddim hyd yn oed yn ffrindiau. Doedd gan Tanc ddim llawer o ffrindiau a doedd e ddim yn siaradwr mawr – fel arfer roedd yn rhy brysur yn clirio ei blât a phlât unrhyw un arall o'i gwmpas. Gwyliodd Bari e'n llowcio'r cawl. Roedd e ar fin dechrau ar y pwdin pan sylwodd ar fowlen lawn Siôn.

'Ti'n bwyta hwnna?' gofynnodd.

Ysgydwodd Siôn ei ben. 'Dim diolch.'

'Trueni ei wastraffu,' meddai Tanc. 'Dere ag fe i fi.'

Rhofiodd y darten afalau a'r cwstard sgleiniog i mewn i'w fowlen ei hun, gan lowcio dwy lwyaid yn syth ar ôl ei gilydd. Edrychodd y lleill arno mewn syndod.

'Ddim yn ddrwg,' chwyrnodd Tanc gan sychu cwstard o'i ên. 'Blasu braidd yn . . .'

Cymerodd saib a thorri gwynt fel taran.

Trodd ei wyneb yn wyn a rhoddodd ei law dros ei geg.

Y funud nesa neidiodd i'w draed, gwthio'i fowlen drosodd a rhedeg nerth ei draed o'r ffreutur.

Syllodd Siôn mewn syndod. 'Beth sy'n bod arno fe?' gofynnodd.

'Gormod o darten afalau siŵr o fod,' meddai Bari.

Ond roedd Ffion yn edrych ar y bowlen roedd Tanc wedi'i gwthio drosodd. Roedd lympiau mawr o gwstard melyn llachar wedi llifo dros y bwrdd. Roedden nhw'n sgleinio ac yn wincio fel deunydd ymbelydrol.

Plygodd Ffion ymlaen i'w arogli. 'Mae'r cwstard bob amser yn wael ond mae hwn yn edrych yn rhyfedd!' meddai.

Roedd Siôn yn falch ei fod wedi gwrthod ei fwyta ac, wrth edrych o gwmpas y neuadd, sylwodd nad ef oedd yr unig un. Roedd disgyblion naill ai wedi'i adael neu'n dal i fwyta'u prif gwrs. Tanc, mae'n debyg, oedd yr unig un oedd wedi bwyta ei bwdin.

'Dwi am fynd i weld a yw e'n iawn,' meddai Siôn, gan ruthro i dai bach y bechgyn a chnocio ar y drws.

'TANC? Wyt ti'n iawn?' galwodd.

Doedd dim ateb. Ystyriodd Siôn fynd i mewn ond doedd e ddim eisiau i Tanc chwydu dros ei esgidiau ysgol. Dim ond y bore hwnnw roedd e wedi'u glanhau. Galwodd eto.

'Tanc? Wyt ti mewn 'na?'

Deuai synau rhyfedd o'r tai bach. Os nad oedd Tanc yn chwydu yna roedd e'n gwneud sioe swnllyd iawn.

Daeth Bari a Ffion o'r ffreutur.

'Mae Miss Marblen yn dod,' meddai Ffion. 'Ydy e'n iawn?'

'OOOOOWWWW!' udodd Tanc.

'Ddim yn iawn o gwbwl, felly,' meddai Ffion.

'Bydd e'n iawn,' meddai Bari. 'Dyna ddysgu gwers iddo am fod mor farus.'

Doedd Siôn ddim mor siŵr. 'Dwi ddim yn gwbod,' meddai. 'Falle ei fod wedi bwyta rhywbeth drwg.'

'Fel cinio ysgol?' awgrymodd Bari.

'Ta beth, does dim pwynt sefyll yn fan hyn. Well i ti fynd i weld,' meddai Ffion.

'FI? Pam fi?' protestiodd Siôn. 'Dy'n ni ddim yn ffrindie, hyd yn oed.'

'Wel, alla i ddim mynd mewn i dai bach y bechgyn!' meddai Ffion.

Dechreuodd Siôn rwbio'i glust, oedd yn gwingo'n ofnadwy. (Byth yn arwydd da.) Drwy lwc, cyrhaeddodd Miss Marblen yr eiliad honno. 'Dwi wedi edrych yn y gegin; does dim sôn amdanyn nhw,' meddai hi'n flin.

'Pwy?' gofynnodd Ffion.

'Yr arolygwyr, wrth gwrs, a pham ydych chi'n sefyll tu allan i'r toiledau?'

Eglurodd Siôn beth oedd y sefyllfa yn gyflym, a sôn bod Tanc y tu mewn.

'Yna well i ni fynd i weld ei fod yn iawn,' meddai Miss Marblen.

'Tanc? Fi sy yma, Miss Marblen,' meddai. 'Dwi'n dod i mewn.'

Clywodd bawb ergyd fawr wnaeth i'r drws ysgwyd. Roedd Miss Marblen wedi clywed digon; aeth i mewn gyda'r lleill y tu ôl iddi.

Roedd y stafell yn wag. Roedd un o'r tri drws wedi malu ac roedd y ddau arall ynghau. Edrychodd Siôn ar y lleill. Roedd teimlad gwael ganddo am hyn – roedd ei glustiau ar dân.

'Tanc? Wyt ti'n iawn?' holodd Miss Marblen.

Dim ateb.

Aeth Bari tuag at y drws. 'Falle dylen ni ddod 'nôl wedyn,' awgrymodd.

Yn sydyn rhuthrodd rhywbeth allan o'r tŷ bach ar y pen. Tanc oedd e, neu o leia roedd ganddo wyneb fel un Tanc. Roedd y gweddill ohono wedi newid yn Flobyn Mawr bron tair gwaith yn fwy na'r Tanc gwreiddiol. Roedd ei groen melyn yn dripian ac yn ysgwyd fel pe bai wedi'i wneud o . . . o

RAAAAAR!
Help, Y BLOBYN MAWR MELYN!!

GWYLIA!
Mae'n taflu cwstard cas!
SBLAT!

Rho'r gorau iddi.
AR UNWAITH!
Aaa!
RAAAARR!

Ffion Ffrisbi – i'r gad!
OND...
SWISH!
SHLYP!
Yyy . . . y? Lle aeth fy ffrisbi?

GWNA RYWBETH!
Beth? Sut mae ymladd blobyn mawr o gwstard?
Aha - mae gen i syniad clyfar.

Hei, boldew mawr melyn!
Yyy?
SBLOSH!
AAAA!
CRASH

Pennod 7

Helbul melyn

Roedd Miss Marblen yn gorwedd ar ei bol ar y llawr gwlyb, yn griddfan.

'Y'ch chi'n iawn, miss?' gofynnodd Ffion, gan roi help llaw iddi godi ar ei heistedd.

'Oni bai am ambell asgwrn wedi'i dorri, ydw,' cwynodd y brifathrawes.

Edrychodd Siôn o gwmpas y stafell. Roedd twll mawr yn y wall lle dihangodd Tanc. Llifai lympiau trwchus o gwstard drewllyd i lawr y waliau. Estynnodd Bari fys at y cwstard.

'Paid â'i gyffwrdd!' rhybuddiodd Siôn.

'Dy'n ni ddim yn gwybod a yw e'n saff.'

'Ydych chi'n siŵr mai Tanc oedd hwnna?' gofynnodd Miss Marblen. 'Roedd e'n edrych yn . . . wel, yn wahanol.'

Roedd Siôn wedi bod yn meddwl yr un peth. Roedd Tanc i'w weld yn iawn tan iddo ddechrau ar y pwdin doedd neb arall wedi'i gyffwrdd.

'Mae'n rhaid mai'r cwstard oedd ar fai,' meddai Siôn. 'Mae rhywbeth od amdano.'

'Wel, mae e wastad wedi bod yn llawn lympiau,' cyfaddefodd Miss Marblen.

'Nid dim ond hynna,' meddai Siôn gan bwyntio at y waliau. 'Mae'n gwynto'n rhyfedd ac yn sgleinio. Beth bynnag sydd ynddo, mae e wedi troi Tanc yn Flobyn Melyn.'

'Wel, does dim byd amdani,' meddai Miss Marblen. 'Mae'n rhaid ystyried diogelwch y plant a rhoi gwybod i'r arolygwyr.'

'Ble maen nhw, ta beth?' gofynnodd Ffion.

'Cwestiwn da,' atebodd Miss Marblen. 'Bob tro mae argyfwng maen nhw'n diflannu.' Aeth hi i chwilio am yr ymwelwyr.

Syllodd Ffion ar y waliau gwlyb.

'Dwi'n dal yn amheus o'r ddau yna,' meddai. 'Sylwoch chi fod ar Pwdin eu hofn nhw?'

'Mae arno ofn popeth,' meddai Siôn. 'Ac nid yn fan'ma oedd yr arolygwyr.'

'Na,' cytunodd Ffion. 'Roedden nhw yn y gegin, a dyna o ble ddaeth y cwstard.'

Meddyliodd Siôn yn galed am hyn. Roedd Ffion yn llygad ei lle. Os oedd rhywbeth yn y cwstard, rhaid bod rhywun wedi'i roi yno. Fyddai Mrs Cacen ddim wedi gwneud y fath beth. Roedd hi'n gogyddes wael ond roedd hi'n ddiniwed. Aeth Siôn drwy'r drws.

'Ble y'n ni'n mynd nawr?' gofynnodd Bari, gan ddilyn y ddau arall.

'I'r gegin, wrth gwrs,' atebodd Siôn. 'Maen rhaid i ni ddod i wybod beth sy'n digwydd.'

Aethon nhw ar frys i lawr i'r gegin. Ar ben y ffwrn, daethon nhw o hyd i sosban ludiog a chwstard wedi llifo i lawr ei hochrau. Teimlai Siôn yn sâl wrth agosáu ati. Roedd yn drewi fel yr hylif oedd ar waliau'r toiled. Doedd dim sôn am y ddau arolygwr. Aeth Pwdin o gwmpas y gegin gan snwffian yn y corneli ac yna aeth allan. Funud yn ddiweddarach glywon nhw'r ci yn cyfarth yn y coridor.

'Beth sy'n bod arno fe?' gofynnodd Bari.

'Mae e wedi dod o hyd i rywbeth,' meddai Ffion.

Dechreuodd Pwdin grafu drws metel.

'Beth sy'n cael ei gadw yn fan'na?' gofynnodd Ffion. 'Dwi ddim wedi sylwi arno o'r blaen.'

'Na fi. Well i ni edrych,' meddai Siôn.

Roedd y drws yn drwm ac wedi'i gloi. Unwaith iddyn nhw droi'r allwedd, roedd angen dau ohonyn nhw i'w dynnu ar agor. Y tu mewn roedd rhewgell anferth. Roedd yn llawn cywion ieir, llysiau wedi'u rhewi a dau arolygwr â'u hwynebau wedi troi'n las.

Bum munud yn ddiweddarach roedd y ddau arolygwr yn eistedd wrth reiddiadur cynnes wedi'u lapio mewn blancedi. Cleciai eu dannedd mor ffyrnig nes eu bod prin yn gallu siarad.

'Ydych chi'n siŵr taw chi yw'r arolygwyr?' holodd Siôn.

'Y . . . y . . . ydyn,' crynodd Miss Mawr. 'Mae rhywun wedi'n cloi ni mewn . . . '

'Welsoch chi pwy oedden nhw?'

gofynnodd Ffion.

Amneidioddd Miss Mawr. 'Y . . . ppp . . .'

'Y prif gogydd?' holodd Ffion.

'Y prif weinidog?' mentrodd Bari, a chael cic gan Siôn.

'N . . . a . . . y pennaeth,' meddai Miss Mawr.

Roedd Siôn wedi dychryn. Pam yn y byd y byddai Miss Marblen yn cloi'r arolygwyr yn

y rhewgell? Nid dyma'r ffordd o wneud argraff dda.

'Y pennaeth – sut olwg oedd arni hi?' gofynnodd Ffion.

Ysgydwodd Mr Hir ei ben. 'Nid *hi*,' atebodd yn gynedig.

'Fe?' meddai Ffion. 'Dyn bach gyda barf?'

Amneidiodd y ddau arolygwr ar yr un pryd.

'Ro'n i'n gwybod!' gwaeddodd Ffion gan neidio ar ei thraed. 'Nid Miss Marblen oedd e ond y dyn bach rhyfedd yna wnaethon ni ei dywys o gwmpas yr ysgol.'

Edrychai Bari fel pe bai wedi drysu.

'Sorri,' meddai. 'Os mai rhain yw'r arolygwyr go iawn, yna pwy yn union yw'r ddau arall?'

Cydiodd Ffion mewn copi o'r llyfr *Llawlyfr Canllaw Archarwyr* oddi ar silff yn y gegin. Trodd y tudalennau nes iddi ddod at y dudalen roedd hi'n chwilio amdani.

'Ro'n i'n gwybod fy mod i wedi'i weld o'r blaen!' gwaeddodd.

DIHIROD GWAETHA'R BYD

RHIF 13:

DOCTOR DRWG

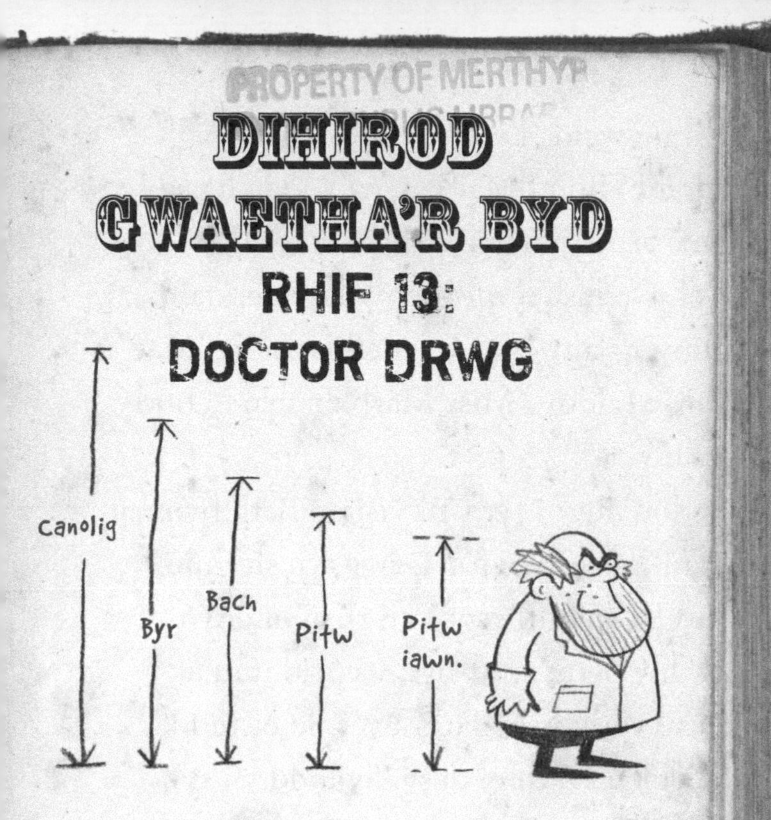

Disgrifiad: Pen moel, barfog, ond peidiwch â sôn am ei daldra.

Gyrfa: Athrylith dieflig bychan o gorff, wedi'i ddiarddel o seremoni wobrau *Gwyddonydd y Flwyddyn* pan ddaeth hi i'r amlwg ei fod wedi pleidleisio drosto ef ei hunan – mil o weithiau.

Cyfradd Diawlineb: 91

‘Chi’n gweld. Dyna fe, Doctor Drwg!’ gwaeddodd Ffion. ‘Mae e yma yn ein hysgol yn esgus mai arolygwr yw e. Ddwedes i!’

‘Wel, wedest ti mo’i enw fe,’ meddai Bari.

‘Sdim ots am ei enw,’ meddai Siôn. ‘Mae’n rhaid i ni rybuddio Miss Marblen cyn ei bod hi’n rhy hwyr!’

Rhedon nhw i fyny’r grisiau. Beth bynnag oedd cynlluniau Doctor Drwg, yn sicr nid oedd gwella’r cinio ysgol yn rhan ohonyn nhw. Aeth y pedwar ar hyd y coridorau ac i mewn i swyddfa’r brifathrawes lle eisteddai Miss Marblen wrth ei desg. Syllodd yn syn arnyn nhw.

‘Yr arolygwyr!’ meddai Siôn, allan o wynt.

Cododd Miss Marblen ei dwylo. ‘Calliwch, dwi wedi dod o hyd iddyn nhw; mae popeth o dan reolaeth,’ meddai. ‘Mi ges i sgwrs neis iawn gyda Mr Hir. Ei gyngor e oedd i gau’r ysgol ac anfon y plant adre. A dweud y gwir, dwi’n meddwl eu bod ar y bws yn barod.’

'Pa fws?' gofynnodd Ffion.

'Wel, bws yr ysgol, wrth gwrs. Oes bws arall?'

Rhedodd Ffion at y ffenest. Y tu allan i'r gatiau roedd hen fws du a edrychai fel petai wedi'i achub o iard sgrap. Roedd plant yn dechrau mynd i mewn iddo.

'Ond nid ein bws ysgol ni yw hwnna!' meddai Ffion.

'Ac nid arolygwyr ysgol yw'r rheina chwaith,' meddai Siôn. 'Ry'n ni newydd ddod o hyd i'r rhai go iawn yn y rhewgell. Doctor Drwg yw'r dyn ry'ch chi wedi bod yn siarad ag e.'

'DOCTOR DRWG!!!' gwaeddodd y brifathrawes. 'Pwy alwodd am y doctor?'

'Nid doctor go iawn yw e – mae e ar restr Dihirod Gwaetha'r Byd!' meddai Ffion. Dangosodd y llun i Miss Marblen. Gwelwodd y brifathrawes a brysio at y ffenest. 'Brysiwch!' gwaeddodd. 'Peidiwch â gadael iddyn nhw fynd ar y bws!'

Rhedodd pawb allan, a Pwdin yn eu dilyn. Ond wrth iddyn nhw gyrraedd, caeodd drysau'r bws gydag un wich uchel. Gyrrodd y cerbyd i ffwrdd, yn llawn plant yr ysgol, gydag Oto wrth y llyw. Daeth Doctor Drwg at y ffenest gefn a chodi ei law yn hwyliog arnyn nhw.

Roedd Miss Marblen yn gandryll. Roedd hi newydd adael i ddihiryn gipio llond bws o'i disgyblion. Doedd hyn ddim yn mynd i edrych yn dda yn yr adroddiad.

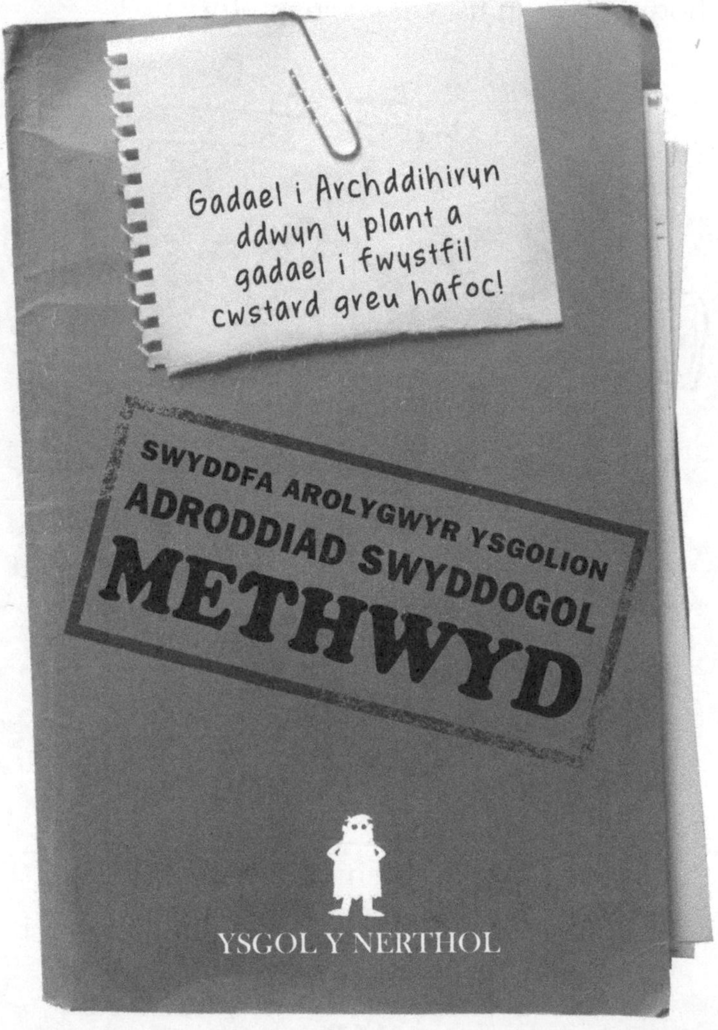

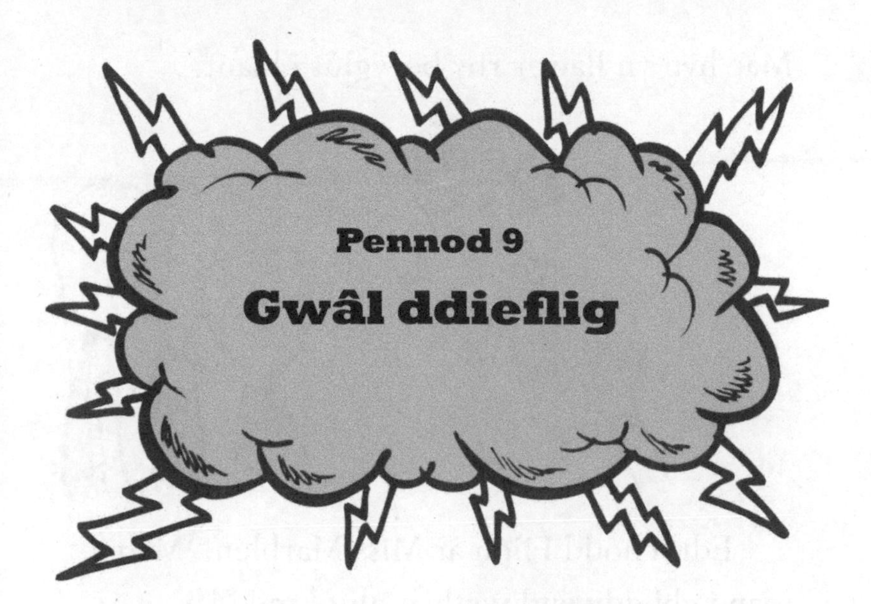

Safai pawb yn fud wrth i'r bws ddiflannu i'r pellter. Sylwodd Siôn fod Miss Mawr a Mr Hir yn cerdded i'w cyfeiriad. Roedden nhw wedi gweld y cyfan.

'Mae hyn yn ofnadwy. Dwi'n mynd i ffonio'r heddlu,' llefodd Miss Marblen.

'Does dim amser,' meddai Siôn. 'Awn ni ar eu holau nhw.'

'CHI?' gwaeddodd Miss Mawr, wrth ddod i lawr y grisiau. 'Mater i'r heddlu yw hwn.

Mae hyn yn llawer rhy beryglus i blant.'

Edrychodd Ffion ar Miss Marblen. 'Man a man i chi ddweud wrthyn nhw,' meddai.

Amneidiodd y brifathrawes yn araf.

'Mae arna i ofn nad oeddwn yn hollol onest ar y ffôn,' cyfaddefodd. 'Dyw ysgol y Nerthol ddim yr un peth yn union ag ysgolion eraill. Mae'r plant rydyn ni'n eu dysgu yn . . . sut alla i egluro . . . maen nhw'n eitha clyfar.'

Edrychai Mr Hir yn ddryslyd. 'Maen nhw'n gallu gwneud mathemateg uwch?'

'Na, mae ganddyn nhw bwerau arbennig,' atebodd Miss Marblen. 'Mae gan Siôn, er enghraifft, glustiau arbennig sy'n ei rybuddio rhag unrhyw berygl.'

Edrychodd y ddau arolygwr ar Siôn fel pe baen nhw'n disgwyl i'w glustiau fynd ar dân. Ond doedd dim amser i egluro ymhellach. Roedd hon yn dasg i'r:

'Mae ein gwisgoedd yn y stafelloedd newid, well i ni frysio,' meddai Siôn.

'Arhoswch – mae un peth arall,' meddai Bari. 'Dwi'n siŵr eich bod i gyd yn gwybod beth yw'r tri pheth sy mewn cwstard?'

Ochneidiodd Siôn. 'Nac ydyn, a does dim amser am hyn,' atebodd.

'Llaeth, siwgwr a phowdr cwstard,' meddai Bari. 'Dyna i gyd sydd ei angen.'

'Felly, beth wyt ti'n trio'i ddweud?' holodd Ffion.

'Wel, beth yw'r un peth ddylech chi BYTH ei roi mewn cwstard?' gofynnodd Bari.

PETHAU NA DDYLECH EU RHOI MEWN CWSTARD

'BETH?' gwaeddodd Siôn, gan golli amynedd.

'Dŵr,' atebodd Bari. 'Dy'ch chi byth fod i ychwanegu dŵr at gwstard neu bydd e'n mynd yn denau ac yn ddyfriog. Ac os y'ch chi'n cofio, taflu dŵr dros Tanc oedd yr unig beth gododd ofn arno.'

Meddyliodd Siôn am y peth. Roedd e'n wir fod Tanc wedi ymateb i'r dŵr fel cath ar dân.

Syllodd Ffion arnyn nhw. 'Y'ch chi'n dweud y gallwn ni drechu'r Cwstard Cas gyda DŴR?'

'Mae'n bosib,' meddai Bari. 'Gallai dŵr fod yn ryw fath o wrthwenwyn, neu wrthgwstard. Dyna pam y dylen ni fynd â pheth gyda ni.'

'Iawn, fe wnawn ni,' meddai Siôn. 'Ond beth os yw dy theori wych di yn anghywir?'

'Wedyn, wnaiff e ddim gweithio,' atebodd Bari.

Ysgydwodd Siôn ei ben. Roedd Bari yn un o'i ffrindiau gorau ond weithiau roedd ei syniadau'n hollol hurt. Ond yr eiliad hon roedd yn rhaid i Siôn roi ei holl sylw i ddod o hyd i'w ffrindiau oedd wedi'u herwgipio. Roedd y bws wedi hen fynd ond fe ddaeth Ffion o hyd i rywbeth yn y Llawlyfr.

'Mae'n dweud fan hyn i chwilio am guddfan ddirgel,' meddai.

'Os yw hi'n guddfan, sut allwn ni ddod o hyd iddi?' gofynnodd Siôn.

'Dyna'r holl bwynt,' atebodd Ffion. 'Dy'n ni ddim yn chwilio am fflat neu fyngalo. Bydd hwn yn rhywle tywyll a brawychus yr olwg – rhywle bydde gwallgofddyn yn ei ddewis. Dyna lle fydd Doctor Drwg.'

Bant â nhw, gyda Pwdin y ci, ar drywydd y dihirod. Os oedd y llyfr yn iawn, go brin mai ar ganol sgwâr y dref fydden nhw.

Ar ôl awr o chwilio ar hyd y strydoedd ac oedi wrth bolion lamp daethon nhw at stryd gefn gyda waliau bric uchel bob ochr iddi.

Ysgydwodd Siôn ei ben. 'Does dim byd yma,' ebychodd. 'Gwastraff amser yw hyn.'

Aeth Pwdin o'u blaenau gan snwffian o gwmpas casgliad o finiau sbwriel. Edrychodd ar Ffion a chyfarth.

'Mae e 'di dod o hyd i rwbeth,' meddai Ffion.

'Bwyd, siŵr o fod,' cwynodd Bari.

Dringodd Ffion ar ben un o'r biniau sbwriel er mwyn gallu gweld dros y wal.

'Ro'n i'n gwybod,' ebychodd. 'Dewch i weld hyn!'

Dringodd Siôn a Bari i fyny ati. Yr ochr draw i'r wal roedd hen ffatri wag gyda'r ffenestri wedi torri a thyllau yn y to. Nodai'r arwyddion yn glir nad oedd croeso i ymwelwyr yno.

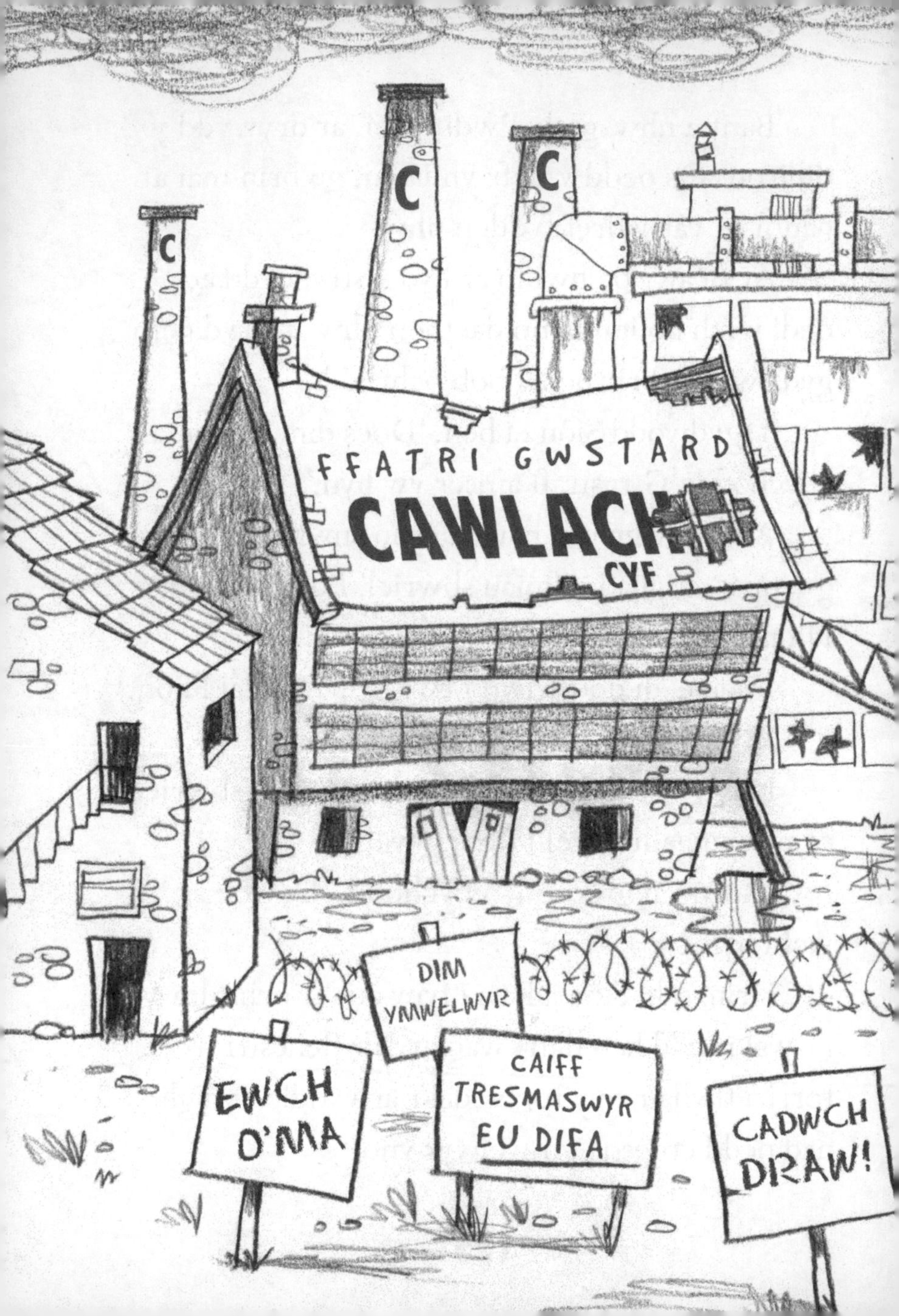
C
C
C
FFATRI GWSTARD
CAWLACH
CYF
DIM
YMWELWYR
EWCH
O'MA
CAIFF
TRESMASWYR
EU DIFA
CADWCH
DRAW!

'Ffatri Gwstard?' holodd Siôn.

'Perffaith,' meddai Ffion. 'Yr union le i wneud Cwstard Cas heb ddenu unrhyw sylw. Ac edrychwch draw fan'na.'

Roedd hen fws du wedi'i barcio yn yr iard, yr un oedd wedi'i ddefnyddio i gipio'r plant.

Roedd yr awyr wedi troi'n llwyd. Roedd iard y ffatri yn wag – ond beth oedd y tu mewn? Pam oedd Doctor Drwg eisiau llond bws o blant a pham dod â nhw i ffatri gwstard oedd wedi hen gau? Eto fyth dechreuodd clustiau Siôn ei rybuddio y dylen nhw fynd 'nôl – ac eto fyth fe'u hanwybyddodd nhw.

'Wel?' meddai Ffion. 'Beth yw'r cynllun 'te, Grwtyn Cryf?'

Doedd dim syniad gan Siôn. 'Dwi'n meddwl bod angen i ni sleifio i mewn ac osgoi cael ein dal,' meddai.

'Gobeithio'r gorau, ti'n feddwl?' gwenodd Ffion. 'Beth yw'r peth gwaetha allai ddigwydd?'

'Gallen ni ddioddef yr un dynged â Tanc,'

meddai Bari yn ofnus. 'Pawb i wirio'u harfau.'

Edrychodd Siôn yn ei bocedi ac amneidio. Roedd e'n gobeithio bod damcaniaeth Ffion am y cwstard yn iawn – neu gallai pethau droi'n gawlach go iawn.

Pennod 10

Cawlach go iawn

Sleifiodd **y Dewrion** i mewn i'r ffatri gwstard dywyll. Arhosodd Pwdin wrth y drws gan fod ofn tywyllwch arno.

Carlamai calon Siôn. Pam nad oedd dihirod byth yn gadael y goleuadau ymlaen fel y gallech chi weld i ble roeddech chi'n mynd? Unwaith y daeth llygaid Siôn i arfer â'r tywyllwch gallai weld drymiau tun a pheiriannau rhydlyd yn drwch o we pry copyn i gyd. Gwichiai'r to yn y gwynt.

'Does neb yma,' sibrydodd Bari. 'Wel, o leia roddon ni gynnig arni.'

Ysgydwodd Siôn ei ben a phwyntio at ddrws yn arwain at y stafell nesaf. Sliefiodd y tri drwyddo ac oedi mewn dychryn. Roedd y stafell fel rhyw fath o labordy cyfrinachol. Ar ben grisiau fflachiai panel o fotymau, deialau a goleuadau. Yng nghanol y llawr roedd crochan enfawr yn llawn o gwstard, oedd fel petai'n goleuo'r tywyllwch.

Ond nid dyna oedd y peth gwaethaf.

Uwchben y crochan roedd rhwyd fawr yn dal dwsinau o'u ffrindiau ysgol.

Roedd Siôn yn gallu adnabod rhai plant o'i ddosbarth a dechreuodd ddyfalu lle roedd y gweddill yn cael eu cadw. Roedd hi'n amlwg fod Doctor Drwg yn cynllunio rhyw fath o arbrawf erchyll ond doedd dim sôn amdano fe – efallai ei fod yn cael hoe.

Teimlodd Siôn law Ffion ar ei fraich.

'Gallai hwn fod yn drap,' sibrydodd. 'Wyt ti'n cofio beth mae'n ei ddweud yn y Llawlyfr?' Ysgydwodd Siôn ei ben; yn anffodus doedd e ddim wedi cyrraedd y dudalen honno.

PAID Â BOD YN DDA

BYDD YN WYC

Llawlyfr Canllaw Archarwyr

Popeth sydd angen i chi ei wybod er mwyn achub y byd.

TRAPIAU MARWOL

Trapiau marwol – pethau ofnadwy, yn dydyn nhw? Fyddech chi'n meddwl bod gan ddihirod bethau gwell i'w gwneud na meddwl am ffyrdd o ladd eu gelynion. Yn anffodus, dyma beth sy'n mynd â'u bryd nhw. Mae yna sawl math o Drap Marwol ond dyma ambell un y dylech ei osgoi:

1. TRAP LLYGODEN

2. YR ANRHEG FARWOL

3. Y LLAWR SY'N SYMUD

4. Y DRWS FFUG FFIAIDD

Os cewch eich dal mewn trap marwol ceisiwch bwyllo a dianc drwy ddefnyddio'ch pwerau arbennig. Os oes gennych gryfder mawr neu lygaid arbennig o dda fyddwch chi'n iawn. Os ydych yn casáu cael eich goglais ry'ch chi mewn trwbwl.

Yn olaf, cofiwch y rheol aur: os yw'n edrych fel trap ac yn arogli fel trap, yna mae'n debygol o fod yn *drap*.

Petai Siôn wedi darllen y cyngor da hwn efallai na fyddai wedi camu ymlaen a gwneud i'r larwm ganu

Yn sydyn agorodd wal frics fel par o lenni. Eisteddai Doctor Drwg o'u blaenau yn ei sedd Cyfarwyddwr Cawlach. Wrth ei ymyl safai Oto yn ufudd.

'Croeso i fy labordy bach i,' meddai Doctor Drwg. 'Rhaid i fi ddweud 'mod i'n siomedig. Roeddwn wedi gobeithio gweld mwy na chriw o archdwpsod.'

'Ni yw'r **Dewrion** ac ry'n ni yma i dy drechu di,' meddai Ffion yn ddewr.

'Dyna wreiddiol,' chwarddodd Doctor Drwg. 'Gwrddon ni gynne, yndofe? Dylen i fod wedi dyfalu'n syth fod rhywbeth yn bod gyda'ch ysgol chi. Ond yn y diwedd roedd hi'n hawdd. Pa ffordd well o roi tro ar fy nyfais na defnyddio criw o blantos bach twp?'

'Faset ti ddim yn meiddio,' meddai Siôn.

'O dwi'n ddrwg, felly dyna wna i!' gwenodd Doctor Drwg. 'Nag y'ch chi'n cofio eich hen ffrind?'

Ymddangosodd Tanc o'r cysgodion. Roedd e fel pe bai wedi tyfu yn dalach ac yn fwy blonegog ers y tro diwetha iddyn nhw ei weld.

'Roedd Tanc yn lwcus. Fe oedd y cynta i gael ei drawsnewid gan y Cwstard Cas,' meddai

Doctor Drwg. 'Mae effaith un fowlen yn hynod, chi'n cytuno? Ond beth fyddai'n digwydd pe byddech yn rhoi rhai o'r plant mewn crochan cyfan o gwstard cas? Beth am i ni weld?'

Tynnodd Doctor Drwg handlen. Yn sydyn symudodd y rhwyd tuag at y crochan o gwstard.

‘AAAAAAAAAAAAA!

Roedd y plant yn y rhwyd yn hofran uwchben y mochyndra erchyll.

‘PAID! Gad iddyn nhw fynd! gwaeddodd Siôn.

‘Neu fe ddywedi di wrth Mami, wnei di?’ chwarddodd Doctor Drwg.

‘Neu hyn,’ meddai Bari gan dynnu rhywbeth

GYNNAU DŴR?
HW HAHAHAHA!

o'i boced. Gwnaeth Ffion a Siôn yr un peth.

Roedd Doctor Drwg wedi cael llond bol ar chwarae gêmau. Pwyntiodd ei fys at y *Dewrion*.

'Dinistria nhw, Tanc!' gorchmynodd.

'YYY?'

'CER AR EU HOLAU NHW, Y BLOBYN TWP!'

Ufuddhaodd Tanc a hercio ymlaen gan daflu lympiau o gwstard. Byddai un lwmp wedi bod yn ddigon . . .

Y FRWYDR FAWR
PAWB I GUDDIO!
SBLAT!

SBLWWJ!

LLITHRODD SIÔN AR DALPYN O GWSTARD
HELP!
SBLOT!

RAAAAR!
GYLP!

AMSER BATH!
SGWISH
YRG!

Ble ydw i?
Fy ffrisbi! Dyna lle aeth e!

Pennod 11

Swigod hynod

Golchodd Ffion ei ffrisbi a'i roi yn ôl yn ei gwregys.

'Dwi'n meddwl aeth hynna'n dda iawn,' meddai. 'Nawr rhaid i ni achub y lleill.'

Ond roedden nhw wedi anghofio am Doctor Drwg.

'Y ffyliaid!' gwaeddodd. 'Gallwch chi ddim rhwystro'r Cwstard Cas!'

Tynnodd handlen a syrthiodd y rhwyd drwy'r awyr gan daro'r cwstard gyda splash erchyll. Lledodd crychau ar draws y pwll a dechreuodd swigod godi i'r wyneb.

'Newyddion drwg,' meddai Siôn.

Allan o'r mochyndra erchyll daeth pen gwlyb ac yna un arall ac un arall – wynebau eu ffrindiau ysgol oedden nhw.

'DINISTRIWCH NHW!' udodd Doctor Drwg gan chwifio'i ddyrnau bychain.

Cymerodd **y Dewrion** gam yn ôl.

'Ym . . . beth wnawn ni nawr?' gofynnodd Bari.

'Dim ond un peth allwn ni ei wneud,' llefodd Siôn. 'RHEDEG!'

Rhedon nhw at y drws wrth i un o'r creaduriaid cwstardllyd neidio allan o'r crochan. Herciodd Siôn i'r stafell nesaf. O'i flaen gallai weld y drws i'r iard lle roedd Pwdin yn aros. Cyfarthodd y ci rhyfeddol a rhedeg i'w cyfarch.

'Siapiwch hi! Maen nhw'n dod!' gwaeddodd Bari.

Ond arafodd Siôn a stopio.

'Beth ti'n neud? Dere!' mynnodd Bari.

Ysgydwodd Siôn ei ben. 'Mae'n ffrindie ni i gyd 'nôl fan'na,' meddai. 'Allwn ni ddim rhedeg i ffwrdd a'u gadael nhw!'

Amneidiodd Ffion. 'Mae Siôn yn iawn. Rhaid i ni stopio Doctor Drwg cyn iddo greu byddin o Flobiau Erchyll.'

'Fel y rheina, ti'n feddwl?' Pwyntiodd Bari ac fe drodd pawb i weld y Blobiau Erchyll yn dod tuag atyn nhw fel criw o sombis melyn.

Cododd Siôn ei wn dŵr ac anelu atyn nhw.

'Arhoswch nes eu bod nhw'n nes. Ddweda i pryd,' sibrydodd.

' . . . NAWR!'

O na, meddyliodd Siôn. Roedden nhw wedi rhedeg allan o ddŵr! Mae popeth ar ben, felly, meddyliodd. Y Dewrion wedi'u trechu dan fôr o gwstard drewllyd gan eu ffrindiau ysgol eu hunain!

Rhedodd Pwdin i guddio y tu ôl i Ffion gan adael ôl traed gwlyb. Aroswch funud . . . ôl traed gwlyb?

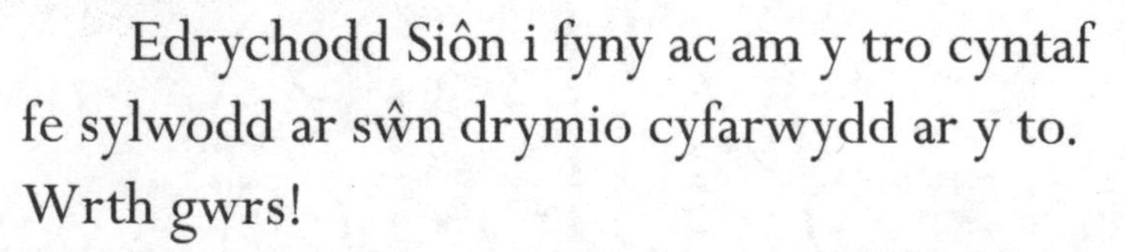

Edrychodd Siôn i fyny ac am y tro cyntaf fe sylwodd ar sŵn drymio cyfarwydd ar y to. Wrth gwrs!

'ALLAN! BRYSIWCH!' gwaeddodd.

Trodd pawb a rhedeg o'r ffatri. Daeth y Blobiau ar eu holau'n araf at y golau dydd. Wrth i'r gawod o law syrthio ar eu pennau syllodd y creaduriaid i fyny a sylweddoli eu bod wedi gwneud camgymeriad mawr.

Cyn hir dim ond dwsin o blant syfrdan yn eistedd mewn pyllau o gwstard dyfrllyd oedd ar ôl.

'Diolch byth am dywydd Cymru,' meddai Bari. 'Ro'n i'n poeni fan'na am funud.'

Ond doedd dim amser i laesu dwylo – roedd dal angen delio â Doctor Drwg. Daethon nhw o hyd i'r gwyddonydd gwallgo yn ei labordy.

'Paid â symud!' gwaeddodd Siôn.

'CHI!' ebychodd Doctor Drwg. 'Ond dyw hyn ddim yn bosib!'

eodd Miss Marblen y ffeil ac ochneidio
:hio i'r ochr. Edrychodd Siôn a Ffion ar ei
yn bryderus. Beth nawr? Os oedd Ysgol
hol wedi methu'r arolwg, a fyddai'n cau
ın gwbwl, fel roedd Miss Marblen wedi'i
yddai'r **Dewrion** yn cael eu gwahanu ac
na fydden nhw'n gweld ei gilydd eto.
:th na dim, ni fyddai 'run ohonyn nhw'n
:yfle i basio'u haroliadau terfynol a dod
ıarwyr go iawn.

Cododd Miss Mawr y ffeil oddi ar y ddesg. 'Er hyn,' meddai, 'mae'n amlwg i ni nad yw Ysgol y Nerthol yn ysgol gyffredin sy'n dysgu plant arferol. Gellid dadlau y dylai'r ysgol gael ei phwyso a'i mesur â safonau gwahanol. Er enghraifft, cymerwch Siôn a'i ffrindiau.' Trodd atyn nhw. 'Oni bai amdanoch chi, efallai y byddai cynllun Doctor Drwg wedi llwyddo a phwy â ŵyr beth arall allai fod wedi digwydd? Dylai'r ysgol hon a'ch athrawon fod yn ddiolchgar iawn i chi am eich dewrder a'ch meddyliau chwim.'

Doedd Siôn ddim yn gwybod beth i'w ddweud. Roedd ei glustiau wedi cochi ond, am unwaith, doedd hyn yn ddim byd i'w wneud â pherygl.

'Felly ar ôl ystyried hyn, rydyn ni wedi penderfynu peidio â chyflwyno'r adroddiad hwn,' meddai Miss Mawr.

Gwyliodd Siôn mewn syndod wrth iddi rwygo'r tudalennau yn ddarnau a'u taflu i'r bin sbwriel.

Cododd Miss Marblen. 'Ond beth fydd yn digwydd i'r ysgol?' gofynnodd.

'Dim byd o gwbwl,' atebodd Miss Mawr. 'Cewch barhau i hyfforddi'r plant i fod yr hyn maen nhw eisiau bod.'

'Archarwyr,' meddai Ffion.

Gwenodd Miss Mawr. 'Fydden i'n gwybod dim am hynny, wrth gwrs,' meddai, gan wincio arnyn nhw.

'Na fyddech, wrth gwrs,' cytunodd Miss Marblen.

'Wel, wn i ddim sut i ddechrau diolch i chi!'

Ysgydwodd yr arolygwyr law pawb, anwesu Pwdin a cherdded allan, gan adael llonydd iddyn nhw.

Unwaith iddyn nhw fynd, suddodd Miss Marblen 'nôl i'w sedd. 'Diolch byth!' ochneidiodd. 'Fyddai'n well gen i fwyta treiffl moron Mrs Cacen na mynd drwy hwnna eto.'

Gosododd ei sbectol ar ei thrwyn. 'Wel,' meddai. 'Mae'n edrych fel pe bai gen i achos i ddiolch i chi'ch tri eto am achub yr ysgol.'

'Y pedwar ohonon ni,' mynnodd Ffion. 'Helpodd Pwdin hefyd.'

'Wrth gwrs; sorri, Pwdin,' chwarddodd Miss Marblen.

Roedden nhw ar fin gadael ond oedodd Siôn. 'Un peth arall,' meddai. 'Beth am Doctor Drwg? Fydd e'n mynd i'r carchar?'

Ysgydwodd Miss Marblen ei phen. 'Dyna beth sy'n rhyfedd,' meddai. 'Os yw person cas yn cael gormod o Gwstard Cas, mae'n debyg bod ei effeithiau i'r gwrthwyneb.'

'Chi'n dweud ei bod y cwstard wedi'i wneud yn llai cas?' holodd Bari.

'Yn union,' meddai Miss Marblen. 'A dweud y gwir, mae e'n ddyn eitha neis erbyn hyn.

Maen nhw'n dweud ei fod wedi troi ei gefn ar y byd gwyddoniaeth ac wedi dechrau swydd newydd.'

Chwiliwch am ragor o straeon

ACADEMI ARCHARWYR

Chwiliwch am ragor o straeon

ACADEMI ARCHARWYR